변일환 원장의 예쁜 가슴성형 이야기

발 행 | 2024년 06월 11일
저 자 | 변일환
펴낸이 | 한건희
펴낸곳 | 주식회사 부크크
출판사등록 | 2014.07.15(제2014-16호)
주 소 | 서울특별시 금천구 가산디지털1로 119 SK트윈타워 A동 305호
전 화 | 1670-8316
이메일 | info@bookk.co.kr

ISBN | 979-11-410-8902-3

www.bookk.co.kr

변일환 원장의
예쁜 가슴성형 이야기

God is in the details.

- Ludwig Mies van der Rohe

프롤로그

아름다운 체형에 대한 관심과 노력은 인류 역사 상 한 번도 멈춘 적이 없습니다. 특히 근래에 미디어와 지식의 발전으로 근력 운동, 식단과 같은 자기관리와 더불어 가슴성형에 대해서도 사회적 관심이 크게 늘고 있죠. 가슴은 여성의 성징(性徵)이자 모성의 상징(象徵)으로서 여성 체형에 아주 중요한 부분을 담당합니다. 따라서 가슴의 크기나 모양 등의 변화는 여성의 외모뿐 아니라 자신감에도 큰 영향을 미치죠. 그래서 요즘 수많은 여성들이 가슴성형 수술을 통해 자신만의 아름다움을 추구합니다.

현재 가슴성형수술은 전세계에서 가장 많이 하는 성형수술입니다. 역사도 오래된 수술 중 하나이죠. 가장 오래된 가슴성형수술은 1895년에 독일 의사 Vincenz Czerny가 수행한 것으로 알려져 있습니다. 당시 한 오페라 가수가 유방 절제술을 시행 받았고, 볼륨을 채우기 위해 환자의 지방종을 채취하여 가슴성형을 시행하였습니다. 그 이후 여러가지 재료를 사용한 가슴성형수술 기술이 개발되었으며, 1960년대부터는 실리콘 젤 보형물이 사용되기 시작했습니다. 현재는 안전하고 효과적인 가슴성형수술 기술들이 다양하게 개발되어 있으며, 수많은 여성들이 안전하고 만족스러운 삶을 얻고 있습니다.

많이들 하고 있지만 가슴성형수술은 큰 결정이 필요한 수술입니다. 수술 후의 결과는 내 몸의 일부로서 오랜 기간 동안 지속되기 때문에, 잘못된 선택은 예기치 않은 후유증이나 문제를 야기할 수도 있습니다. 따라서 가슴성형수술을 고민하시는 분들은 어떤 병원에서, 어떤 원장님에게, 어떤 수술을 받을 것인지 신중하게 선택해야 합니다.

저는 오랜 기간 많은 분들에게 가슴, 체형수술을 집도한 성형외과 전문의입니다. 1급 심리상담사, CS (고객만족) 관리사, 국가공인 바텐더 자격증 등도 보유하고 있으며, 해당 경험을 살려 감성적으로 섬세하면서도 따뜻한 진료를 위해 매일 노력하고 있습니다. 학술 활동도 열심히 노력하고 있으며 현재까지 20편 이상의 영문 논문도 작성한 경험이 있습니다. 하지만 의학 논문이라는 것이 의사들끼리 토의하고 가르칠 때는 유용한데 일반 환자분들에게는 잘 공개가 안 되어 있고, 영어와 전문용어로 되어 있기 때문에 이해에 어려움이 많습니다. 게다가 요즘은 유튜브, 온라인 커뮤니티, SNS 등이 발달하면서 수많은 정보에 쉽게 접할 수 있지만 틀린 정보들이나 잘못된 해석을 유발할 수 있는 단편적 지식도 굉장히 많습니다. 이러한 현상을 보며 논문만 쓸 것이 아니라 성형에 관심이 있는 일반 분들에게 정확한 정보로 손쉽게 설명하고 소통할 수 있는 책이 있으면 좋겠다고 생각하였고 집필하기에 이르렀습니다. 이 책은 가슴성형수술의 종류와 준비에 대해 쉽고 자세히 설명하고, 수술 후의 관리와 부작용, 그리고 많은 분들이 상담 시 질문하신 궁금증에 대한 해답을 제공하여, 가슴수술을 고민하는 분들이 자신에게 맞는 결정을 내릴 수 있도록 돕는데 목적을 두고 있습니다.

이 책을 완성할 수 있도록 지지와 도움을 주신 소중한 가족들께 감사의 말씀을 드립니다. 오랜 시간 함께 근무하고 지지해주신 병원장님, 끈끈한 가슴·체형센터 원장님들, 그리고 같이 근무하고 있는 동기들과 여러 원장님들 감사드립니다. 또한 진료와 수술이라는 것이 의사 혼자서 하는 것이 아니기에, 늘 열심히 도와주시는 병원의 많은 부서의 선생님들께 감사드립니다. 대학병원 시절 많은 가르침을 주신 연세대학교 성형외과학 교실 교수님들과 동기, 선후배님들도 감사드립니다. 그리고 평소에는 표현할 기회가 잘 없는데, 저를 믿고 찾아주시고 가슴, 체형수술을 받으신 수많은 환자 여러분께도 이 글을 빌어 진심으로 감사의 말씀을 드립니다. 마지막으로 이 책을 읽어주시는 독자 분들께도 감사의 말씀을 전하며, 여러분들의 궁금증 해결과 의사결정에 많은 도움이 되기를 바랍니다.

추천사

안녕하세요, 아이디병원 박상훈 병원장입니다.

올해는 저와 아이디병원에게 굉장히 특별한 해입니다. 바로 개원 20주년이기 때문이죠. 좋은 일들이 참 많은 해인데, 오랜 시간 함께 한 변일환 원장님이 아이디병원 20주년 기념과 함께 이렇게 가슴, 체형 성형에 대한 책을 집필하게 되어 벅찬 마음으로 추천사를 쓰게 되었습니다.

우리 변일환 원장님이 이끌고 있는 가슴·체형센터는 아이디병원 20년의 막내 센터였습니다. 하지만 누구보다도 강한 막내 센터입니다. 그리고 앞으로 더욱 도약할 센터이기도 합니다. 전세계에서 가장 많이 하는 성형수술은 바로 가슴수술이라고 합니다. 우리나라는 아직은 아니지만 빠르게 증가하는 추세입니다. 또 가슴수술은 여러과 선생님들의 협업을 통해 미용과 건강 상 완벽한 결과를 이끌어 내는 수술이기 때문에, 가슴·체형센터는 한 마음, 한 팀으로서 늘 협동하며 최상의 결과를 만들고 있습니다. 아이디병원은 수년간 연속해서 멘토 보형물의 국내 사용량 1위를 공식 인증하였고, 모티바, 세빈 보형물 역시 수차례 사용량 1위를 달성하였습니다. 이렇게 우리나라를 대표하는 아이디병원 가슴센터에 이르기까지 변일환 원장님 포함 수많은 분들의 노력과 열정이 있었고, 자랑스러울 따름입니다.

변일환 원장님은 저희 병원에서 가장 열심히 진료를 보고 수술을 하는 원장님들 중 한 분으로, 늘 개인별로 맞춘 최상의 솔루션을 드리기 위한 노력을 쉬지 않습니다. 또한, 이미 20편 이상의 의학 논문을 여러 저명한 저널에 게재하였으며 활발한 학술활동을 이어가고 있습니다. 유명한 피트니스 대회에 초청되어 심사와 시상에 참여하기도 하였습니다. 이 책을 기점으로 앞으로 더욱 많은 분들과 원활한 소통과 유익한 정보를 공유할 수 있을 것이라 확신합니다. 이렇게 쉽게 풀어 쓴 의학 도서가 많지 않은데 출간이 되어 기쁩니다.

개인적으로 양악수술 관련된 책을 쓰던 기억이 납니다.

책을 쓰는 일은 자신과의 싸움입니다. 아이디어 구상부터 글을 쓰고 편집하고 출판하기까지 굉장히 많은 시간과 정성이 들어갑니다. 이러한 일은 사명감 없이는 하기 어려운 일이라 생각됩니다. 변일환 원장님의 노력에 다시 한 번 뜨거운 응원의 박수를 보내드립니다.

제가 읽어 보니, 본 도서는 성형에 대해 전혀 모르는 분들도 굉장히 쉽게 이해할 수 있습니다. 가슴수술의 소개와 준비, 수술 후 관리, 주의사항, Q&A, 많은 분들이 공감할 다양한 실제 사례들, 여러 가지 체형수술 등 변일환 원장님의 많은 경험과 지식과 이야기가 자연스럽게 녹아있습니다. 가슴과 체형에 조금이라도 고민이 있는 분들의 선택에 큰 도움이 될 것으로 생각하며 추천 드립니다.

아이디병원 병원장

박 상 훈

차례

Part 2. 가슴수술, 이렇게 준비하세요

Part 3. 수술 후 관리, 이렇게 편해요

Part 4. 누구나 한 번쯤 생각해 본 가슴 관련 고민과 궁금증, 해결해 드립니다

Part 5. 실제 사례들을 소개합니다

Part 6. 그 외의 체형 고민, 해결해 드립니다

Part 1

가슴수술을 소개합니다

이 세상에서 가장 많이 하고 가장 만족도가 높은 성형 수술은 무엇일까?

요즘 성형수술이 굉장히 보편화되어 많이 하시고 종류도 매우 많죠? 갈수록 세분화되고 종류가 많아서 이런 수술도 있구나 싶을 수도 있습니다. 과 특성상 전신의 피부, 연부조직, 근육, 뼈를 다루는 학문이기 때문에 머리카락을 심는 모발이식부터 다양한 얼굴, 가슴, 체형의 수술, 그리고 대학병원에서 시행되는 여러 암 재건, 상처 재건과 수부이식까지 분야가 무척 방대합니다. 그럼 그 수많은 성형수술 중에 전세계에서 가장 많이 하는 수술은 무엇일까요? 네, 이 책을 읽는 독자 분들은 예상하셨을 거라 생각되는데 바로 가슴수술입니다. 해당 수술을 집도하는 성형외과 전문의로서 늘 자부심을 느끼는데 다음 그래프를 먼저 보시죠.

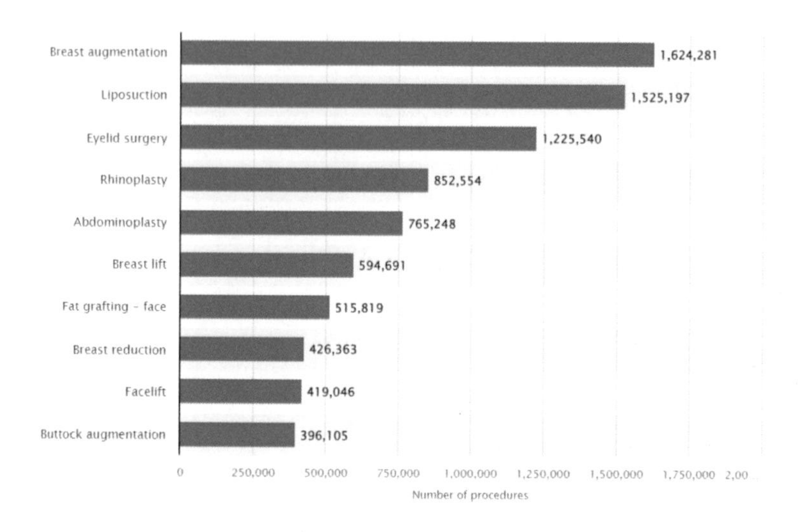

<Top 10 surgical cosmetic procedures worldwide in 2020: 2020년에 전세계에서 가장 많이 시행된 성형수술 10가지>[1]

이 그래프에 보시다시피 가장 많이 하는 수술 1등은 breast augmentation, 즉 가슴확대수술입니다. 2등은 지방흡입입니다. 그런데 아래쪽으로 보시면 6번째에 breast lift, 가슴거상수술과 8번째에 breast reduction, 가슴축소수술도 보입니다. 가슴거상과 축소도 굉장히 많이 시행됨을 알 수 있고, 이들을 합치면 매년 264만명 이상이 가슴 성형수술을 받고 있다고 보시면 됩니다. 엄청나죠? 다른 데이터도 가슴수술이 가장 많은 것을 알려주고 있고, 이 트렌드는 매년 점점 증가하고 있습니다.[2]

자, 그럼 두번째 질문입니다. 이 세상에서 가장 만족도가 높은 성형수술은 무엇일까요? 눈치채셨겠지만 역시나 바로 가슴수술입니다. 특히 수술 후의 자신감 향상과 체형의 균형이 아름답게 개선되는 효과로 인해 많은 여성들이 보다 만족스럽고 업그레이드된 삶을 펼치고 있습니다. 이 역시 공식적인 데이터를 토대로 말씀을 드리는 것이며, 아래에 두 번째 그래프를 보겠습니다.

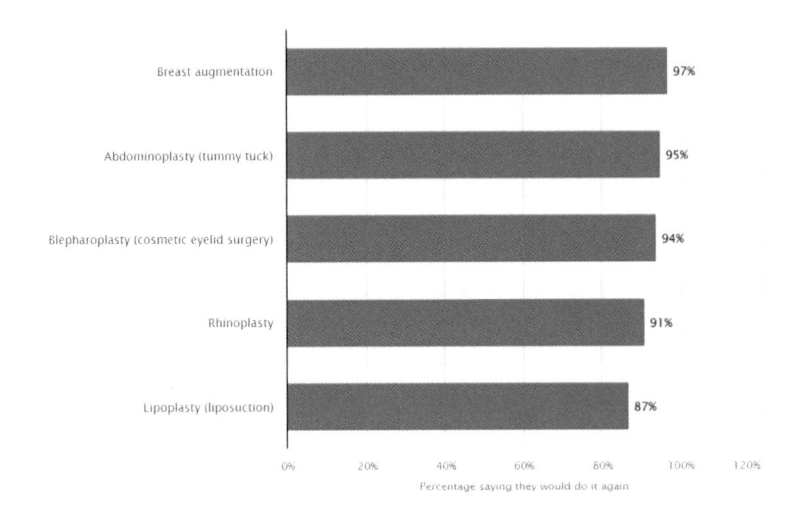

<Satisfaction among patients following common U.S. surgical cosmetic procedures as of 2022: 2022년에 미국에서 시행된 성형수술의 환자 만족도 조사>[1]

그래프를 보시면 2022년에 미국에서 시행된 성형수술의 환자 만족도를 조사하였더니 1등으로 가슴확대수술로 나타났습니다. 무려 97%의 환자분들이 만족하며 시간을 되돌아가더라도 다시 가슴수

술을 하겠다고 응답하였습니다. 가장 많이 하고 가장 만족도가 높은 수술이 가슴수술이고 그 특수분야에 몸담고 있어 뿌듯합니다. 역사가 긴 만큼 안전성에 대한 보장도 되어있습니다.

가슴수술 다음으로 두번째로는 abdominoplasty, 복부거상수술이 95%로 높게 차지했습니다. 세번째는 눈성형, 네번째로 코성형, 다섯번째로 지방흡입이 나열되어 있습니다. 개인적으로도 가슴과 더불어 체형수술을 전문으로 하기 때문에 복부거상과 지방흡입도 자주 하고 있는데요. 체형에 대한 관심이 커지고, 요즘 상당한 체중을 빼면서 피부가 늘어나는 것에 대한 교정을 많이들 희망하시기 때문에 매년 케이스가 늘고 있습니다. 지방흡입은 말 그대로 작은 구멍을 통해서 피부 아래에 있는 지방을 효과적으로 제거하는 수술이고, 복부거상은 하복부나 상복부의 남는 피부를 제거 및 재배치하고 복근을 묶어드려 탄탄한 복부를 가질 수 있도록 시행하는 수술입니다. 체형수술에 대한 부분은 마지막 파트에서 다시 설명 드리도록 하겠습니다.

SNS 사진을 찍었을 때 가장 예쁘게 나오는 컵은 몇 컵일까?

이렇게 많은 분들이 가슴수술을 하는 이유는 무엇일까요? 아무래도 가장 큰 원인은 사이즈와 모양이죠. 가슴이 작거나, 너무 크거나, 비대칭적이거나, 출산과 체중 감량 후 가슴이 처졌거나, 형태가 마음에 들지 않아서 수술을 받는 경우가 있습니다.[3-5] 이러한 경우 수술을 통해 크기를 조절하거나 모양을 개선하여 자신감을 높일 수 있습니다. 이렇게 수술을 받으시고 많은 분들이 자존감이 높아지고, 옷을 고르거나 입기도 편해지며, 자신 있게 사진도 많이 찍게 되죠. 스마트폰 카메라의 화질이 나날이 발전하기 때문에 언제, 어디서든 손쉽게 촬영이 가능합니다. 특히 요즘 많은 분들이 SNS를 하시는데, 그럼 사진을 찍었을 때 가장 예쁘게 나오는 컵은 몇 컵일까요? 상당히 어려운 질문인데 진료 중 굉장히 자주 접하는 질문이기도 합니다.

사진에서 가장 예쁘게 나오는 컵 사이즈는 개인적인 취향과 체형에 따라 다르기 때문에 일반적으로 명확한 답변은 어렵습니다. 그러나 일반적으로는 균형 잡힌 체형이 가장 아름답게 인식되기 때문에, 가슴 크기도 개인의 체형과 어느정도 비례하도록 조절하는 것이 좋습니다. 또한, 사진에서 가슴이 예쁘게 보이기 위해서는 올바른 자세와 앵글, 조명 등 다양한 요소가 중요합니다. 사진 촬영 시 옷차림과 자세를 고려하여 가슴의 크기와 모양이 최대한 예쁘게 보일 수 있도록 조절하는 것이 좋습니다.

상담을 하면서 가장 많이 접하는 희망 사이즈는 아무래도 풀 C컵입니다. 물론 풀 C라고 말씀하셔도 개인마다 생각하는 C컵의 사이즈가 조금씩 다르기 때문에 충분한 상담을 통해 결정하게 됩니다. 그리고 가슴성형의 트렌드는 조금씩 사용 보형물 사이즈가 커지고 있습니다. 5-10년 전만해도 200cc대를 많이 사용하였고 그 전에는 100cc대도 자주 사용되었는데, 요즘은 아무래도 300cc 이상을 많이들 선호하십니다. 요즘은 D컵 이상을 선호하시는 분들도 종종 접할 수 있지요.

가슴 컵은 정확히 무엇일까?

이전 챕터에서 상담 시 많이들 선호하시는 컵은 풀 C컵이라 말씀드렸습니다. 그런데 그 풀 C컵이라는게 정확히 무엇일까요? 생각보다 개인마다 예상하시는 C컵의 사이즈는 상당히 다릅니다. 어떤 분들은 생각보다 작다고 하시고 어떤 분들은 너무 크다고 하시기도 하죠. 또 보통 C컵과 풀 C컵이 차이가 굉장히 많이 날 것이라 생각하는 경우도 있습니다. 가슴의 컵을 측정하는 방법은 여러가지 있겠지만 가장 보편적인 방법을 소개드릴게요. 일단 가슴 아래쪽 밑선 쪽 흉곽 둘레를 줄자로 잽니다. 그 다음에 보통 유두 높이나 가슴에서 가장 봉긋한 부분의 둘레를 줄자로 잽니다. 그 다음에 그 차이를 계산하여 컵을 예측하는 것이죠. 아래 그림으로 보시면 쉽게 이해되실 거예요.

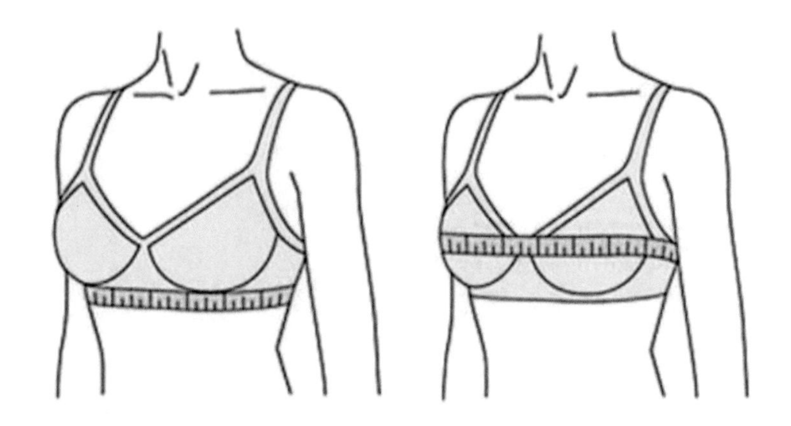

<가슴 컵 사이즈 확인을 위한 두가지 흉곽 측정>[6]

이렇게 두가지 측정을 한 후 그 차이를 구합니다. 그 값이 12.5 cm 전후면 B 컵, 15 cm 전후면 C 컵, 17.5 cm 전후면 D 컵 이런 식으로 올라갑니다. 하지만 우리가 똑같은 스몰 사이즈 티셔츠를 구매해도 브랜드마다 크기가 천차만별이죠? 브라도 마찬가지입니다. 위 계산법은 대략적인 볼륨 계산법이고, 같은 흉곽 둘레의 사람들도 그 형태가 다를 수 있죠. 따라서 같은 사람이 여러 속옷 가게를 방문했을 때 컵 사이즈가 각각 다르게 나올 수 있습니다. 따라서 너무 몇 컵이 될 것인지에 대해 신경 쓰시기 보다는 전문의와 충분한 상담을 통해 거울을 보았을 때 '나는 이 정도 커지는게 가장 예쁜 것 같다!' 생각이 드는 사이즈가 바로 정답입니다. 상담 시 참고하시도록 여러 사진도 보여드리며 직접 착용해볼 수 있는 임시보형

물도 사용합니다. 자세한 상담 과정에 대해서는 이후 파트에서 다루도록 하겠습니다.

상담을 하다 보면 의외로 현재 본인의 가슴 컵 사이즈와 가슴 둘레를 정확히 알고 계시는 분은 많지 않습니다. 편한 착용을 추구하여 신체보다 매우 큰 둘레의 속옷을 입는 분도 있고, 스스로 C 컵으로 생각하였으나 A 나 B 컵인 경우도 많이 있습니다. 그 반대로 스스로 A 컵이라고 생각하며 오셨지만 B 컵 이상인 경우도 있습니다. 브라는 기본적으로 가슴을 보호하고 모양을 잘 유지하도록 도와주는 속옷이기 때문에, 너무 크거나 작지 않게 내 체형에 맞는 것으로 고르는 것이 좋겠습니다.

거거익선 vs 내추럴, 무엇이 나에게 맞을까?

몇 년 전부터 거거익선(巨巨益善) 이라는 말이 유행하면서 여러가지 분야에서 트렌드처럼 자리 잡았습니다. 가장 대표적인 게 바로 TV죠. 나날이 기술이 발전하면서 점점 TV 화면이 커지고 얇아지고 있습니다. 그리고 이 표현이 수술 중에서는 유일하게 가슴 성형에서도 몇 년 전부터 유행을 하고 있고, 상담하러 오시는 분들도 종종 언급하십니다. 내 흉곽에서 넣을 수 있는 만큼 최대한 크게 넣자는 의미인데요, 또 그에 반해서 수술을 안했는데 자연스럽게 큰 것처럼 내추럴한 사이즈를 원하시는 분들도 최근 다시 조금씩 늘고 있습니다.

당연히 정답은 없습니다. 많이들 아시는 MBTI가 16가지 유형이 있듯이 사람들의 성격은 굉장히 다르거든요. 가슴 수술에서 가장 중요한 것은 자신의 목적과 신체 상태에 맞게 적절한 크기와 모양을 선택하는 것입니다. 따라서 "최대한 크게" 혹은 "자연스러운 것" 중 어떤 것이 좋은지는 개인의 취향과 목적에 따라 다릅니다. 보형물 사이즈에 따라 전반적인 가슴 모양도 조금씩 바뀌기 때문에 전문의와 충분한 상담을 통해 자신에게 적합한 가슴 크기와 모양을 결정하는 것이 좋습니다. 상담을 하다 보면 최대한 크게, 혹은 자연스럽게 하겠다고 마음먹고 오셨다가 여러 사진들을 보고 직접 착용도 해보시면 마음이 바뀌는 경우도 굉장히 많거든요. 또 주변에 수술을 이미 하신 분들의 이야기를 듣고 크게 하지 않으면 후회한다고 생각하시거나, 후기들을 보고 '나는 꼭 몇 cc 정도를 넣어야겠어'라고 다짐하고 오시는 경우도 있습니다. 하지만 사람마다 얼굴이 모두 다르게 생겼듯이 흉곽 모양과 가슴 볼륨도 다 다르기 때문에, 다른 사람에게 작은 보형물이 나에게는 클 수도 있고 그 반대일 수도 있습니다. 전문의와 충분한 상담을 통해 가장 마음에 들고 체형에 알맞은 사이즈를 정하는 것이 중요하겠고, 상담 과정에 대해서는 다음 파트에서 다시 다루도록 하겠습니다.

경험적으로 보면 직업이나 나이에 따라서도 상당히 사이즈 선택 차이가 나는 것 같습니다. 개인방송을 많이 하시는 유튜버나 BJ같은 분들은 조금 화려하게 하는 경향이 많았고, 같은 방송계지만 연예인 분들은 자연스럽게 하신 분이 많았던 것 같아요. 어느 쪽이든 자신의 이미지나 브랜드 컨셉에 맞는 가슴 크기를 선택하는 경우가 많았습니다. 모델도 굉장히 마른 스키니 모델이 있고 플러스 모델이 있어서 경우 따라 체형에 맞게 선택 하셨습니다. 운동 쪽에 종사하시는 선수, 트레이너, 요가, 필라테스 강사님들은 개인에 따라 다양했던 것 같습니다. 또 나이에 따라서는, 보통 조금 더 젊은 층이 큰 사이즈를 선호했으며, 중년층은 개인차가 상당히 있었고, 연

세가 있으신 분들은 내추럴한 사이즈를 선호하셨습니다. 하지만 어느 직업이나 나이 그룹이건 일반화 할 수는 없기 때문에 충분한 개인맞춤형 상담이 필요합니다. 개인의 목적과 신체적 특성을 고려하여 적절한 가슴 컵 크기를 선택해야 합니다.

출산, 수유 후에 가슴은 왜 처질까?

체형에서 가슴 사이즈도 중요하지만 모양도 못지않게 중요하겠죠. 사람의 체형은 일생에 걸쳐 조금씩 변합니다. 그 중 특히 여성의 가슴은 출산, 수유, 급격한 체중감량 등의 영향을 많이 받게 되죠.[7-9] 가슴 안에는 쿠퍼 인대 (Cooper's ligament)라는 조직이 모양을 지탱하는데 중요한 역할을 합니다.[10] 이 조직이 늘어나면 윗가슴이 점점 늘어나고 아래로 처지게 되죠. 출산, 수유 후에 가슴이 처지는 현상은 매우 일반적입니다. 임신과 수유 기간 동안 호르몬 변화가 발생하면서 가슴이 커지게 됩니다. 유방조직의 부푼 상태가 일시적으로 유지되다가 다 끝난 다음 점차적으로 줄어들면서 처짐이 발생합니다. 유방 안의 지방 및 조직이 축소되면서 가슴이 작아지고 확장된 피부와 유방조직의 탄력이 저하되어 가슴이 늘어나거나 약해질 수 있습니다.

가슴이 수유 후에 처지는 것을 막기 위해서는 수유 중에 적절한 브래지어 착용과 식단 및 운동이 중요합니다. 하지만 육아에 너무나 바쁜데 그런 것들을 챙기기 당연히 쉽지는 않겠죠? 일부 분들은 알아서 가슴 탄력이 돌아오고 모양이 원래대로 잡혀가지만, 그렇지 않은 분들도 많습니다. 그런 경우 단순 가슴확대만으로도 유두가 올라가고 피부가 채워지기 때문에 단번에 해결이 되는 경우도 많습니다. 만약에 그보다 심하게 처짐이 발생한 경우에는 다른 종류의 수술이 필요합니다. 바로 가슴거상수술이죠. 거상수술은 가슴을 끌어올리는 수술이고, 거기에 꺼진 윗가슴을 위해 보형물도 같이 넣는 경우 가슴확대거상이 됩니다.[11] 가슴확대거상수술은 Gonzalez-Ulloa라는 분이 1960년에 발표한 수술로 역사가 오래되었고 만족도도 굉장히 높은 수술입니다.[12] 결과적으로 가슴 피부가 탄탄하게 모아지고, 유두 위치도 밑선보다 높은 위치로 잘 올라가게 됩니다.[13, 14] 수술 종류에 대해서 다음 장에서 더 알아보도록 하겠습니다.

가슴수술의 종류는 어떤 게 있을까?
(확대, 거상, 축소 중 내게 필요한 것은?)

자, 앞서 가슴의 컵 사이즈, 처짐의 원인 등에 대해 알아보았는데 원하는 가슴의 크기와 모양을 생각하면 나에게 어떤 수술이 필요한지 알 수 있겠죠? 가슴성형수술은 크게 세 가지로 볼 수 있습니다. 거기에 조금 특수한 경우인 유방암 수술 후 재건까지 포함 할 수 있겠네요. 각각 알아보겠습니다.

1. 가슴확대수술 (breast augmentation): 가장 일반적으로 알고 계시는 가슴 사이즈를 키우는 수술입니다. 가슴성형에서 가장 많은 부분을 차지하고 있습니다. 밑선, 겨드랑이 등의 절개선으로 나에게 알맞는 보형물을 안전하게 삽입하는 방법이죠. 가슴 크기, 모양, 굴

곡 등을 고려하여 보형물의 볼륨과 위치를 결정합니다. 최소한으로 절개하기 때문에 시간이 지나면서 흉터도 거의 안보이고, 수술 후 즉각적으로 볼륨이 커지는 드라마틱한 체형 변화와 만족감을 느낄 수 있습니다. 주로 3-4가지 회사의 보형물을 흔히 사용하며, 각 특성에 대해 이후 다루겠습니다. 일상생활 회복이 빠르며 부담 없이 짧은 수술 시간과 당일 퇴원이 가능합니다. 지방이식으로도 약간의 확대를 할 수 있어서 종종 찾으시는 분들이 있는데, 대개 원하는 만큼 볼륨을 변화 주기는 어렵기 때문에 보형물을 훨씬 많이 쓰는 추세입니다. 가슴골이 많이 마른 분의 경우 보형물을 이용한 가슴 확대수술을 하면서 보조수단으로 지방이식을 같이 활용하기도 합니다.

2. 가슴거상수술 (breast lift or mastopexy): 앞 챕터에서 가슴 처짐에 대해 말씀드렸죠? 그런 분들에게 꼭 필요한 수술입니다. 유륜, 수직 절개, '오'자 절개 등 여러가지 절개법이 있으며, 처짐의 단계를 의학적으로 분석하고 현재 상태에 알맞는 절개방법으로 수술을 시행합니다. 보형물 없이 거상만 하더라도 윗볼륨이 채워지고 피부 탄력이 매우 좋아져 만족감이 높습니다. 거상을 하는 김에 사이즈도 키우고 보다 윗볼륨과 가슴골을 채우고 싶으신 경우에는 보형물도 같이 넣으면 되며, 이 수술이 거상확대수술입니다. 요즘은 단순 거상수술보다는 거상확대수술을 훨씬 많이 하십니다. 볼륨을 더 채워주며 가슴골이나 전반적인 모양이 더 예쁘게 나오기 때문이죠. 이렇게 피부가 늘어난 분들은 피부 공간에 여유가 있기 때문에 보형물을 같이 넣어도 초반부터 모양, 촉감이 굉장히 자연스러운 장점이 있습니다.

3. 가슴축소수술 (breast reduction): 가슴을 키우고 싶은데 갑자기 웬 가슴축소수술인지 하실 수도 있지만 우리나라에도 해당되는 거유증 분들이 생각보다 많습니다. 이런 분들은 평소에 가슴의 무게 때문에 어깨와 허리 통증에 시달리고 옷 입을 때도 많이 불편해 하시죠. 게다가 여름만 되면 크고 처진 가슴 아래 쪽으로 땀이 너무 차서 많은 불편함을 호소하십니다. 볼륨이 많이 크고 처진 경우에는 '오'자 절개 방법으로 많은 조직과 무게를 줄여드릴 수 있고, 심하지 않은 경우에는 유륜이나 수직 절개로도 가능합니다. 나에게 맞는 절개법과 어느 정도로 가슴을 줄이고 싶은지에 대해서는 전문의와 충분히 상의 후 결정하게 됩니다.

4. 가슴재건수술 (breast reconstruction): 유방암이 전세계에서 가장 많이 진단되는 암이라는 것을 아시나요?[15] 안타깝게도 8명의 여성 중 1명이 일생 동안 유방암이 발생하며, 여성의 약 60% 정도는 양성종양, 흔히 아시는 가슴에 혹이 발생하게 됩니다.[16-18] 보통 40세 이상에서 관련 건강검진을 시작하게 되며, 초음파나 맘모그램을 통해 검사를 하게 됩니다.[19] 특히 초음파는 양성종양이나 초기암을 효과적으로 발견할 수 있고 방사선 위험도 없기 때문에 임신 가능성이 있는 분들도 안전하게 받으실 수 있습니다.[20-24] 가슴확대수술을 하는 경우에도 확인을 위해 수술 전 초음파를 해드리는 병원들이 많습니다. 가슴에 발생한 작은 혹에 대해서는 작은 의원에서도 간편하게 맘모톰을 이용해서 제거할 수 있고, 유방암의 경우 대학병원급에서 유방절제술을 시행 받게 됩니다.[25-31] 성형외과와 유방외과가 같이 있는 규모가 있는 병원에서는 동시에 맘모톰과 가슴확대수술이 협진으로 이루어지기도 합니다.[3] 이렇게 작거나 큰 조직이 제거가 되면 당연히 볼륨이 반대쪽 가슴에 비해 적어질 수 있

고, 방사선치료가 추가되는 경우 보다 피부가 수축하고 단단해질 수 있습니다. 상당히 스트레스와 상실감을 동반하게 되는데 이런 경우에도 보형물을 이용한 가슴재건수술로 충분히 만족감과 자신감을 찾아드릴 수 있습니다.

파트 정리

이번 파트는 가슴수술에 대한 전반적인 소개를 위한 장이었습니다. 요즘 수많은 종류의 성형수술이 있는데 전세계적으로 가장 많이 하는 수술이 바로 가슴수술입니다. 통계적으로 1 등이 가슴확대수술이고 2 등이 지방흡입입니다. 그리고 미국에서 시행된 성형수술의 환자 만족도 조사에서도 1 등은 가슴수술입니다.

이렇게 많은 분들이 가슴수술을 하는 이유는 무엇일까요? 아무래도 가장 큰 원인은 사이즈와 모양이죠. 가슴이 작거나, 너무 크거나, 비대칭적이거나, 출산과 체중 감량 후 가슴이 처졌거나, 형태가 마음에 들지 않아서 수술을 받는 경우가 있습니다. 이러한 경우 수술을 통해 크기를 조절하거나 모양을 개선하여 자신감을 높일 수 있습니다. 상담을 하면서 가장 많이 접하는 희망 사이즈는 아무래도 풀 C 컵입니다.

풀 C 컵을 많이들 말씀하시는데 생각보다 개인마다 예상하는 C 컵의 사이즈는 상당히 다릅니다. 컵을 측정하는 방법으로는 일단 가슴 아래쪽 밑선 쪽 흉곽 둘레를 줄자로 잽니다. 그 다음에 보통 유두 높이나 가슴에서 가장 봉긋한 부분의 둘레를 줄자로 잽니다. 그 다음에 그 차이를 계산하여 컵을 예측하는 것이죠. 하지만 이 계산법은 대략적인 볼륨 계산법이고, 같은 흉곽 둘레의 사람들도 그 형태가 다를 수 있어요. 따라서 같은 사람이 여러 속옷 가게를 방문했을 때 컵 사이즈가 각각 다르게 나올 수 있습니다. 따라서 너무 몇 컵이 될 것인지에 대해 신경 쓰기 보다는 전문의와 충분한 상담을 통해 거울을 보았을 때 '나는 이 정도 커지는게 가장 예쁜 것 같다!' 생각이 드는 사이즈가 바로 정답입니다.

가슴 수술에서 가장 중요한 것은 자신의 목적과 신체 상태에 맞게 적절한 크기와 모양을 선택하는 것입니다. 따라서 "최대한 크게" 혹은 "자연스러운 것" 중 어떤 것이 좋은지는 개인의 취향과 목적에 따라 다릅니다. 보형물 사이즈에 따라 전반적인 가슴 모양도 조금씩 바뀌기 때문에 전문의와 충분한 상담을 통해 자신에게 적합한 가슴 크기와 모양을 결정하는 것이 좋습니다.

체형에서 가슴 사이즈도 중요하지만 모양도 못지않게 중요하겠죠. 사람의 체형은 일생에 걸쳐 조금씩 변합니다. 그 중 특히 여성의 가슴은 출산, 수유, 급격한 체중감량 등의 영향을 많이 받게 되죠. 가슴 안에는 쿠퍼 인대 (Cooper's ligament)라는 조직이 모양을 지탱하는데 중요한 역할을 합니다. 가슴이 수유 후에 처지는 것을 막기 위해서는 적절한 브래지어 착용과 식단 및 운동이 중요합니다. 단순 가슴확대만으로도 유두가 올라가고 피부가 채워지기 때문에 단번에 해결이 되는 경우가 많습니다. 만약에 그보다 심하게 처짐이 발생한 경우에는 가슴거상수술이 필요할 수도 있습니다.

마지막으로 가슴수술의 종류에 대해 알아보았습니다. 가장 일반적인 것이 가슴 사이즈를 키우는 가슴확대수술입니다. 두번째로 가슴이 많이 처진 경우 시행하는 가슴거상수술이 있습니다. 상대적으로는 드물지만 점점 늘고 있는 거유증의 케이스에서는 가슴축소수술이 필요합니다. 마지막으로 유방암 수술 후 모양과 볼륨을 회복하기 위한 가슴재건수술이 있습니다.

Part 2

가슴수술, 이렇게 준비하세요

가슴수술, 언제 하는 것이 가장 좋을까?

첫 번째 파트에서 가슴수술에 대한 전반적인 소개를 드렸다면, 이제 본격적으로 하겠다는 마음을 먹은 다음의 준비에 대해 알아보겠습니다. 가장 먼저 시기적으로 언제 수술을 하는 것이 가장 좋을까요? 먼저 나이를 살펴보겠습니다. 보통 가슴수술은 성장이 멈춘 후, 즉 18세 이후에 하는 것이 좋습니다. 그러나 가슴 수술의 목적이 신체적, 정신적 불편함을 해결하는 것인 경우에는 연령에 상관없이 더 이른 시기에도 수술을 할 필요가 있습니다. 한 예로 가슴축소수술의 경우, 성장이 끝나지 않은 10대이더라도 지나치게 큰 가슴으로 인한 생활의 문제, 정신적인 스트레스를 유발한다면 충분한 상의 후 수술을 일찍 하는 것이 좋습니다. 전반적인 성형의 나이대가 점점 빨라지고 있어 가슴확대수술도 이른 나이에 하는 경우가 종종 있는데, 부모님과 환자 본인과 의사가 충분한 상의를 하고 신체 상태를 확인한 후 적절한 시기에 안전하게 시행할 수 있습니다.

직장인들도 수술은 하고 싶은데 언제 하는 것이 좋을지 고민이 많을 수 있습니다. 회사 일정이 빽빽할 수도 있고, 연차를 내는 것이 눈치가 보일 수도 있겠죠. 또 팔을 많이 쓰는 직업이면 언제 복직할 수 있을지 걱정이 되기도 합니다. 자영업자라면 오래 가게를 비우기 힘들 가능성도 높죠. 결론적으로 가슴수술 후 회복과 복귀에 대해 일반적인 경우 크게 부담 갖지 않으셔도 됩니다. 하루, 이틀만 쉬면 아무렇지 않게 출근 할 수 있거든요. 저를 포함해서 많은 의사들이 토요일에도 수술을 하고 있고, 야간 진료가 있는 경우도 있습니다. 예를 들어 금요일 오후나 저녁에 수술을 받고, 주말을 쉰 다음, 월요일에 멀쩡히 출근할 수 있습니다. 저희 병원 직원들 상당히 많은 분들을 수술을 해드렸는데, 보통 이틀 정도 쉬고 출근하고 문제 없이 근무하였습니다. 손을 많이 쓰는 파트 직원들 포함해서도 마찬가지입니다. 예를 들어 미용사, 요리사와 같이 손을 많이 쓰는 환자분들이 회복에 대해 많이 궁금해 하시는데 며칠만 쉬시면 충분히 복귀할 수 있습니다. 단지 조금 더 오랫동안 조심해야 하는 경우는 직업상 많이 무거운 물건을 들어야 하거나 운동 관련 직업에 종사하는 분들입니다. 맨몸이나 가벼운 도구를 들고 팔을 쓰는 것은 금방 가능하지만, 고중량의 무게를 다루는 것은 한 달 이상 쉬는 것이 좋습니다. 따라서 헬스 트레이너의 경우에는 가벼운 유산소나 하체, 복근 운동 등은 한 달이 안되어도 충분히 가능하지만, 중량이 포함된 상체 운동은 한, 두 달 쉬도록 설명 드립니다.

많은 분들의 또 다른 고민 사항은 출산, 수유 전에 하는 것이 좋을지, 후에 하는 것이 좋을지 입니다. 워낙 출산, 수유는 일생에서 큰 이벤트이며 체형도 드라마틱하게 바뀌는 시기이기 때문에 언제 하는 것이 좋을지에 대해 다양하게 다르게 생각하십니다. 결론적으로 말씀드리면 출산이나 수유 전에 가슴수술을 하시는 것이 좋습니다. 가슴 보형물은 볼륨이 크고 탄성이 좋기 때문에 근육과 피부가 확장되면서 탄력이 더 좋아집니다. 이 현상은 출산, 수유 후 가슴이 커졌다가 작아져도 마찬가지입니다. 피부가 늘어났다가 줄어들어도 안쪽에서 탄력 좋은 보형물이 받쳐주기 때문에 처짐이나 윗가슴 꺼짐이 발생할 확률이 훨씬 적습니다. 그리고 출산 전에 수술을 하면 단순 확대만 시행하여도 되는 분이 먼 훗날 가슴이 다소 처진 다음에 병원에 내원하시면 확대만으로 해결이 되지 않고 거상이 같이 필요할 가능성이 높아집니다. 이 사항에 대해 반대로 알고 계시는 분들을 상담하면서 굉장히 많이 접했는데, 출산 전 미리 하시는 편이 좋습니다. 하루라도 더 젊을 때 해서 예쁜 체형을 누리는 것은 덤이죠.

그 다음으로는 조금 특수한 상황인 가슴 재수술과 재건의 시기에 대해 말씀드리겠습니다. 개인차가 있겠지만 우리 몸은 보통 상처가 발생하면 약 3-4개월까지 흉터 조직이 조금씩 단단해지다가 6개월 이상 시간이 지나며 다시 서서히 부드러워집니다. 쌍꺼풀 수술이나 코수술도 마찬가지인데, 가슴도 혹시 어떤 이유로 재수술을 희망하신다면 처음 수술보다 6개월은 지나고 하는 편이 결과가 안정적으로 좋습니다. 가슴수술은 여러 성형수술 중에서도 재수술 비율이 낮은 편입니다. 결과가 안정적으로 잘 나오고, 수술 전 주치의와 충분히 상의를 하고 결정을 하였다면 바꿀 사항도 없습니다. 경험적으로 보면 가슴 재수술의 가장 큰 원인은 오래전에 수술하신 분이 사이즈를 키우기 위해서나 더 좋은 보형물로 교체하기 위해 오시는 경우가 가장 많았습니다. 그리고 요즘 보형물은 그럴 확률이 거의 없지만, 먼 옛날에 지금은 쓰지 않는 보형물로 수술을 하셨다가 검진 상 파열이 확인 된 경우에는 당연히 바로 교체를 해주는 것이 좋겠습니다. 그리고 유방암 수술을 하신 경우에도, 유방절제술과 동시 재건을 한 경우가 아니라면 마지막 치료가 다 끝나고 최소 6개월은 지나고 가슴 조직이 안정화 된 다음 시행 받는 것이 바람직합니다.

큰 맘 먹고 하는 가슴수술, 어디에서 할까?

다른 수술에 비해서 가슴수술이 보다 큰 결심이 필요한 수술일 수 있습니다. 수술 범위의 면적이 얼굴에 비해 훨씬 넓기도 하고, 회복에 대한 걱정이 있을 수도 있죠. 또 사회적으로 수술하는 것이 괜찮은지 눈치가 보일 수도 있습니다. 하지만 앞에서 말씀 드렸듯이 너무 걱정하지 않으셔도 됩니다. 며칠 만에 회복이 가능하며, 일상생활과 출근이 빠르게 가능합니다. 또한 이 책 초반에 말씀 드렸듯이 가슴수술은 전세계에서 가장 많이 하고, 가장 만족도가 높은 성형수술입니다. 고민은 수술만 늦출 뿐이니 상담이라도 받고 결정하시는 것이 좋겠습니다.

큰 맘 먹고 가슴수술을 결정을 하였으면, 어디에서 할 지에 대한 고민이 당연히 따라올 겁니다. 우리나라가 워낙 성형 강국이고 병원들이 많다 보니 어떤 병원에서 어떤 원장님에게 수술 받는 것이 나에게 잘 맞을지 고민되겠죠. 일단 병원을 정하는 기준은 사람마다 다르겠지만, 지인의 소개, 병원의 규모, 후기 검색, 광고의 익숙함 등 다양한 요소를 고려해서 정하게 됩니다. 규모가 크다고 꼭 수술을 잘하는 곳도 아니지만 반대로 작다고 꼭 잘하는 것도 절대 아닙니다. 하지만 규모와 관계없이 가슴수술은 넓은 범위의 전신마취 수술이기 때문에 시스템을 잘 갖추었는지는 잘 확인해야 합니다. 전신마취가 가능한 수술방이 있고 마취과 전문의가 상주하는지가 중요하며, 회복실과 병실 및 수술 이후의 관리에 대한 체계도 중요합니다. 수술 전 초음파나 피검사, 엑스레이 등 꼼꼼한 검사도 포함되어 있는지도 당연히 중요하겠죠.

병원마다 수술의 비용도 조금씩 다를 수 있습니다. 비용은 당연히 중요하고 고민에 큰 영향을 줍니다. 게다가 비싸다고 꼭 좋은 병원도 아니고 저렴하다고 그 반대도 아닙니다. 하지만 위에 말씀드린 대로 가슴수술은 큰 맘먹고 하는 범위가 넓은 수술이기 때문에 여러가지 시스템이 잘 갖추어졌는지는 중요합니다. 게다가 같은 병원에서 가슴수술을 하더라도 보형물에 따라 다양한 가격대가 있기 때문에 충분한 상의 후 마음에 드는 브랜드로 하는 것이 좋겠습니다.

같은 병원 내에서도 여러 성형외과 원장님들이 계실 가능성이 있습니다. 어떤 분이 나와 가장 잘 맞을까요? 사람마다 성격이 다르듯이 나와 상성이 더 잘 맞는 원장님이 따로 있을 수도 있습니다. 가장 중요한 건 내 몸을 맡길 수 있는 신뢰겠죠. 그 외에도 꼼꼼하게 설명을 잘하고 이야기를 잘 들어주는지, 경험이 많은지, 논문과 같은 학술활동 등도 중요한 참고사항이겠습니다. 개인적으로 어떻게 하면 상담을 잘해드릴 수 있을까 고민도 하다가 심리상담사나

CS (고객만족) 관리사 자격증을 따기도 했습니다. 요즘은 온라인에 영상도 많이 올라와 있기 때문에 사전에 시청을 통해 어떤 스타일의 원장님인지 부분적으로 확인도 가능합니다. 이 모든 것은 직접 상담을 해보아야 가장 정확하게 와 닿기 때문에, 너무 고민하기보다는 직접 내가 마음에 드는 병원에 내원하여 상담을 받아보시는 것이 좋습니다.

가슴상담에서는 어떤 것을 정할까?

언제, 어디서 가슴수술을 하기로 마음 먹었으면, 충분한 상담을 해봐야겠죠? 가슴상담에서는 어떤 내용을 상의하고 정하는지 알아보겠습니다. 먼저 일반적인 가슴확대수술의 경우 크게 세가지로 볼 수 있는데, 절개 부위, 보형물 브랜드, 보형물 사이즈 입니다. 절개부위는 크게 밑선, 겨드랑이, 유륜으로 볼 수 있고, 통계적으로 요즘은 밑선 절개를 가장 많이들 선호하십니다. 그 다음으로는 어느 회사의 보형물을 사용할지 정하게 됩니다. 현재 많이 사용되고 있는 보형물은 멘토 (Mentor), 모티바 (Motiva), 세빈 (Sebbin) 등의 회사인데, 종종 새로운 브랜드가 출범하기도 하고 재료 공급 등의 문제로 생산이 중단되기도 합니다. 각각의 장단점이 다르기 때문에 충분한 설명을 듣고 결정하게 됩니다. 마지막으로 가장 중요한 보형물 사이즈입니다. 몇 cc 용량의 보형물을 넣는 것이 나에게 가장 예쁘게 나타날지 충분한 상의를 통해 최종 결정하게 됩니다.

가슴거상수술의 경우는 상담이 조금 달라지게 됩니다. 가슴 처짐의 단계는 보통 1976년에 고안된 Regnault의 정의에 따라 크게 0에서 3단계로 볼 수 있으며 그에 따라 수술방법이 달라질 수 있습니다.[32] 절개 방법은 크게 세가지가 있는데 유륜 절개, 수직 절개, '오'자 절개로 나눌 수 있습니다. 또한 보형물을 함께 사용할지 여부에 따라 절개 방법이 달라질 수 있습니다. 보형물을 삽입하면 가슴이 더 올라가고 탄탄해지기 때문에 조금 더 흉터가 적은 절개방법으로도 가능할 수 있습니다. 보형물을 사용하게 된다면 가슴확대와 마찬가지로 브랜드와 사이즈를 결정하게 됩니다. 가슴이 처져서 오시는 분들은 대개 예전에 볼륨이 풍만하게 있었지만 출산, 수유, 체중 감량 등으로 윗가슴이 꺼지고 피부가 늘어나서 고민이기 때문에 단순 확대수술만큼 큰 보형물을 넣을 필요가 없는 경우가 많습니다. 물론 확대거상수술을 하면서 기존의 볼륨보다도 훨씬 크게도 가능합니다.

마지막으로 가슴축소수술의 상담에 대해 보겠습니다. 가슴을 줄이기 위한 수술이기 때문에 보형물을 사용하는 경우는 없겠죠? 따라서 보형물 사이즈 대신 어느정도 볼륨을 줄일지에 대한 상의가 필요합니다. 절개는 거상수술과 마찬가지로 유륜 절개, 수직 절개, '오'자 절개로 나눌 수 있습니다. 유륜에서 '오'자 절개로 갈수록 흉터는 더 길어지지만 축소할 수 있는 효과는 훨씬 큽니다. 현재 볼륨에 대해서, 최근에 체중 변화가 있는지 등을 잘 파악하고, 어느 정도 줄이고 싶은지에 대한 상의를 충분히 하면서 절개 방법을 정해야 하겠습니다. 또 가슴 아래쪽이나 가슴골 쪽으로 얼만큼 피부가 접히고 생활에 영향을 주는지에 따라서도 절개법을 잘 상의해서 정해야 합니다.

이번 챕터에서 대략 어떤 부분들을 상담에서 정하는지 살펴보았고, 각각의 세부적인 내용에 대해 다음 단원들에서 보겠습니다. 절개 부위에 대해 먼저 알아보도록 하겠습니다.

어디로 절개하는 것이 나에게 제일 맞을까?

가슴확대수술에서 절개 부위는 크게 밑선, 겨드랑이, 유륜으로 볼 수 있고, 각각에 대해 알아보겠습니다. 먼저 요즘 가장 많이들 선호하시는 밑선 절개에 대해 보겠습니다. 보형물이 들어간 다음에 새로 생기게 될 밑선 주름에 절개를 하는 방법입니다. 기존 밑선에 절개를 하기도 하고 필요에 따라 조금 내려서 절개 할 수도 있습니다. 큰 장점은 가슴이 커지고 접히는 부위이기 때문에 앞에서 보아도 잘 보이지 않습니다. 시간이 지나면서 점점 밑주름처럼 보이기 때문에 가슴을 들어올려도 잘 보이지 않습니다. 당연히 비키니, 운동복, 크롭, 탱크탑 등을 입어도 보이지 않겠죠. 두번째 장점으로는 통증이 적고 회복이 빠릅니다. 우리 몸은 말초로 갈수록 감각이 예민해지는 경향이 있습니다. 손가락을 종이에 살짝만 베여도 상당히 불편하고 아프죠? 그에 반면 같은 상처가 가슴 밑선 쪽에 있다고 생각하시면 별로 아프거나 신경 쓰이지 않을 것입니다. 밑선에 직접적으로 절개를 하기 때문에 선천적으로 비대칭이 있거나 피막에 대한 조작이 필요한 재수술의 경우에도 밑선 절개가 조금 더 유리할 수 있습니다.

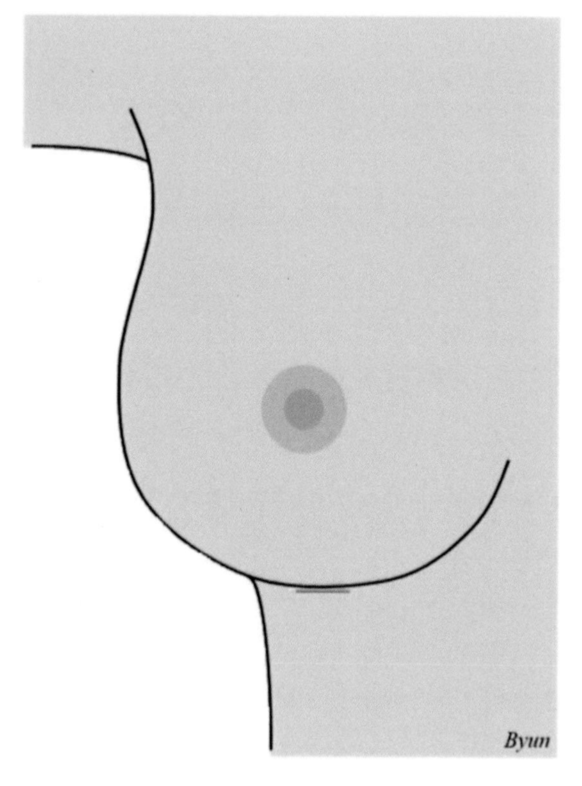

<밑선 절개>

그 다음으로 많이 하는 절개법인 겨드랑이 절개에 대해 알아보겠습니다. 겨드랑이 주름 쪽으로 마찬가지로 작은 절개를 하게 됩니다. 고화질 내시경을 통해 수술을 진행하게 되며, 이 방법의 가장 큰 장점은 흉곽에 전혀 흉터가 없다는 것입니다. 가슴 주변으로 전혀 흉터를 원치 않는 분은 가장 적합한 방법이겠죠. 밑선 절개랑 장단점이 부분적으로 서로 반대라고 볼 수 있는데요, 겨드랑이에 절개선이 있기 때문에 비키니, 탱크탑 같이 겨드랑이가 노출되는 의상을 입었을 경우 팔을 들면 불특정 다수에게 흉터가 보일 수 있습니다. 그리고 겨드랑이 쪽으로 굵은 혈관이나 신경이 지나가기 때문에 밑선 절개에 비해 통증이 더 있고, 팔 쓰는 회복이 조금 더 걸릴 수 있습니다. 물론 회복은 개인차가 크기 때문에 어느 쪽으로 하여도 별로 불편해하지 않는 분이 매우 많습니다. 대부분의 체형에서 어느 절개로 수술을 받으셔도 예쁜 가슴을 동일하게 만들 수 있고, 어디에 작은 흉터가 남았을 때 더 신경이 쓰일지를 예상해보면 나에게 알맞은 방법을 찾을 수 있습니다.

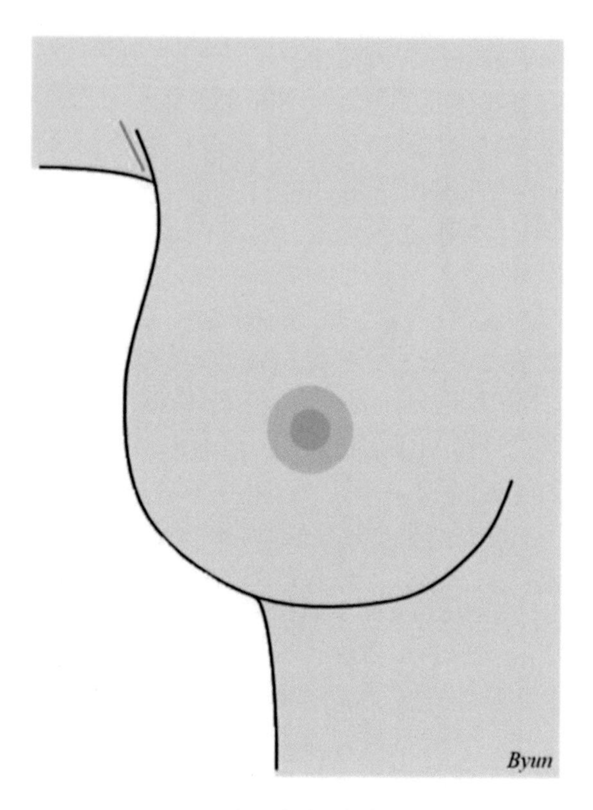

<겨드랑이 절개>

단순 가슴확대에서는 잘 쓰지는 않지만 유륜 절개도 있습니다. 잘 사용하지 않는 이유는 유륜은 정면에서 보이기 때문에 흉터가 보일 수 있기 때문입니다. 그리고 유두, 유륜 쪽으로는 정상적인 피부상재균들이 있기 때문에 해당 부위로 보형물을 넣는 것은 미세염증이나 구형구축의 확률이 올라갈 수 있습니다. 하지만 유륜 절개가 꼭 필요한 경우가 있는데 바로 거상수술과 축소수술입니다.

가슴거상수술과 축소수술은 세가지 절개법이 있습니다. 유륜, 수직, '오'자 인데요. 어느 방법이든 유륜은 포함된다고 보시면 되겠습니다. 기본적으로 유두와 유륜이 처져서 아래로 향하고 있기 때문에 해당 부분에 절개가 필수적이겠죠. 보형물을 같이 삽입하는 가슴거상확대의 경우 흉터가 적은 유륜 절개를 가장 많이 사용하게 됩니다. 보형물이 들어가면 피부 탄력이 좋아지고 유두가 더 올라가기 때문에 적은 흉터로도 큰 리프팅 효과를 볼 수 있는 것이죠. 수직 절개는 유륜 절개와 그 아래에 세로로 된 수직 절개가 추가가 되고, '오'자 절개는 거기에 밑선 쪽으로 가로로 길게 절개가 추가됩니다.

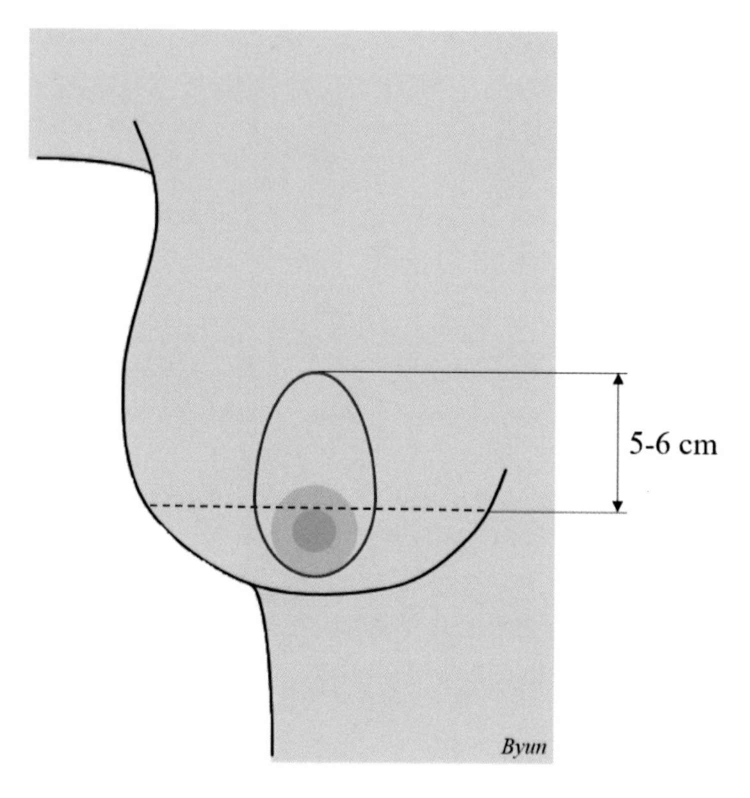

<유륜 절개를 이용한 가슴거상수술>

어떤 보형물이 제일 좋을까?

절개 부위를 정한 다음에는 나에게 알맞는 보형물을 결정해야겠죠? 가슴수술은 역사도 오래되었고 쓰인 보형물의 재료나 형태도 다양합니다. 가장 오래된 가슴성형수술은 1895년에 독일 의사 Vincenz Czerny가 수행한 것으로 알려져 있습니다. 당시 한 오페라 가수가 유방 절제술을 시행 받았고, 볼륨을 채우기 위해 환자의 지방종을 채취하여 가슴성형을 시행하였습니다. 그 이후 여러가지 재료를 사용한 가슴성형수술 기술이 개발되었으며, 1960년대부터는 실리콘 젤 보형물이 사용되기 시작했습니다. 중간에 생리식염수 보형물도 사용되었지만, 시간이 지나면서 누수가 되거나 촉감이 단단한 문제 등으로 요즘은 거의 사용하지 않습니다. 현재 우리나라에서 가장 많이 사용하는 보형물은 멘토, 모티바, 세빈 세가지 회사로 각각 알아보겠습니다. 모두 ISO (국제표준화기구) 인증을 받은 제조업체로 안전하고 신뢰도가 높은 제품들입니다.

멘토 (Mentor): 누구나 들어보셨을 존슨앤존슨 (Johnson & Johnson) 회사에서 만드는 브랜드로 전세계에서 가장 큰 보형물 회사입니다. FDA 승인을 받은 안전한 보형물이며, 부드러운 실리콘 코히시브 젤 (cohesive gel)로 채워져 있습니다. 많이 쓰이고 있는 멘토 부스트 (Mentor Boost), 멘토 엑스트라 (Mentor Xtra), (Mentor Smooth)의 경우 표면이 매끈한 스무스 (smooth) 쉘이며, CPG라는 거친 표면 (textured) 타입의 보형물도 있습니다.

모티바 (Motiva): Establishment Labs라는 글로벌 보형물 제조회사에서 만드는 보형물 브랜드입니다. 탄력 좋은 실리콘 코히시브 젤 (cohesive gel)로 채워져 있으며, 점탄성이 좋아서 탄력 있고 예쁜 가슴 모양을 만들어줍니다. 보형물의 표면인 쉘 (shell)은 미세거친 표면 (microtextured) 타입으로 미세염증과 구형구축의 확률을 낮추어 준다고 되어있습니다.

세빈 (Sebbin): 다양한 종류의 보형물을 만드는 프랑스 회사로, 국내에서 쓰는 가슴보형물은 퓨리티 (Purity), 서브리미티 (Sublimity), 인테그리티 (Integrity) 세가지가 있습니다. 마찬가지로 코히시브 젤 (cohesive gel) 보형물이며, 다양한 형태와 쉘 (shell)의 종류가 있습니다. 세빈 퓨리티는 스무스 (smooth) 보형물이며, 나머지 두가지는 미세거친 (microtextured) 보형물입니다.

보형물 브랜드도 많고 각 브랜드 내에서도 여러가지가 있어서 결정이 쉽지 않죠? 사람마다 체형, 피부 탄성, 꺼짐과 처짐 등이 다르기 때문에 직접 만져도 보고 전문의와 상담을 하면서 나에게 가장 맞는 보형물을 신중하게 결정하는 것이 좋습니다.

<다양한 회사와 종류의 보형물>

가장 중요한 사이즈, 어떻게 정할까?

가슴확대수술의 궁극적인 목표는 가슴 볼륨이 예쁘게 커지는 것이기 때문에 사이즈 선택이 매우 중요합니다. 수술 전에 충분히 상담하여 목표와 기대치, 체형 등을 고려하여 적절한 크기를 정하게 됩니다. 같은 C컵이더라도 사람마다 가지고 있는 이미지가 다르기 때문에, 상담 시 여러가지 체형의 사진들을 보여드리며 참고하도록 도와드리고 있습니다. 그리고 파트 1에서 컵 개념에 대해 설명 드렸지만, 같은 cc의 보형물을 넣더라도 체형에 따라 나오는 컵 사이즈는 매우 상이합니다. 흉곽 둘레나 기존에 가지고 있는 가슴 볼륨이 중요하고 개인차가 크겠죠.

그래서 사용하는 것이 사이저 (sizer)라는 임시보형물입니다. 사이저는 수술 전에 환자가 어떻게 보일지 시뮬레이션해보는 도구입니다. 얇은 스포츠 브라 속에 여러가지 볼륨의 사이저를 착용해보고 대략적으로 어떻게 보일지 시각적으로 확인할 수 있도록 도와드립니다. 다양한 사이즈로 제작되며, 여러가지를 겹쳐서 착용해보면서 수많은 조합을 체험할 수 있습니다.

백문이불여일견이기 때문에 다른 분들의 후기나 지인이 몇 cc로 넣었다는 등의 정보 검색보다 전문의와 상담하면서 직접 착용해 보는 것이 훨씬 빠르고 정확합니다. 많은 분들이 가슴 비대칭도 있기 때문에, 양쪽에 다른 사이즈를 넣어보며 어떻게 차이 나게 넣으면 볼륨 대칭이 잘 맞춰질지 체험할 수 있습니다. 거상을 고려하는 경우에도 사이저를 착용하면 윗가슴이 채워지면서 봉긋하게 올라가는 모습을 미리 확인할 수 있습니다.

사이즈를 정할 때는 가슴의 형태와 위치, 가슴과 체형의 균형, 그리고 본인의 생활방식과 취향 등이 중요한 요소입니다. 전문의와 같이 충분히 토의하면서, 그에 맞는 적절한 사이즈와 형태를 선택하는 것이 가장 좋습니다.

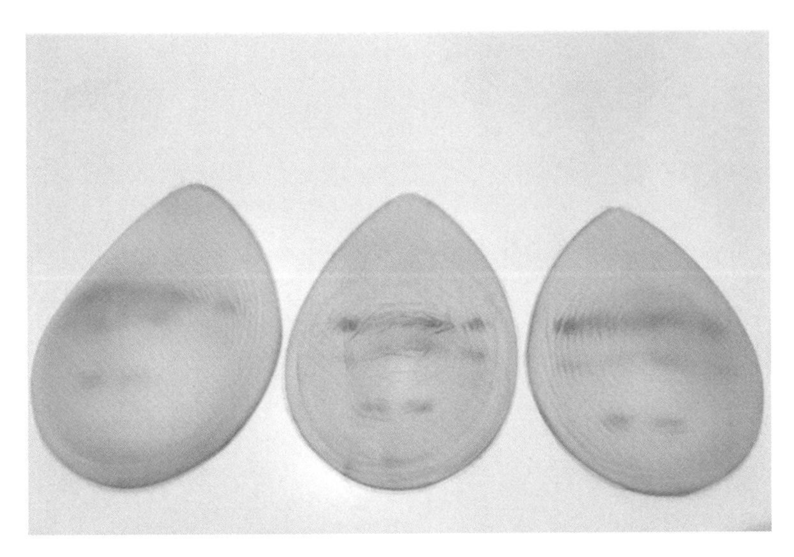

<직접 시착하고 볼륨을 볼 수 있는 사이저>

나는 오목가슴일까, 새가슴일까?

앞 단원에서 사이즈 상담에 대해 알아보았는데요, 사이즈를 정할 때 중요한 것 중 하나가 바로 흉곽의 모양입니다. 흉곽 각도 등에 따라서 사이즈를 조금 더 크게 넣거나 작게 넣는 것이 좋은 결과로 이어질 수도 있거든요. 대표적인 예가 바로 오목가슴과 새가슴입니다. 완벽하게 가슴이 평면인 사람은 거의 없기 때문에 정도의 차이가 있을 뿐, 많은 분들이 경한 오목가슴이나 새가슴의 흉곽을 가지고 있습니다.[33] 또 스스로 해당 부분을 잘 아시고 그런 경우에도 가슴확대수술을 하는 것이 괜찮을지, 하는 것이 더 체형 개선에 도움이 될지도 많이 고민하십니다. 각각에 대해 살펴보겠습니다.

오목가슴 (pectus excavatum)은 가슴 중앙이 들어간 듯한 형태를 띄는 특징으로, 누운 상태에서 발 아래쪽에서 보면 쉽게 알 수 있습니다. 이는 가슴골과 3-7번째 갈비뼈 사이의 공간이 깊어져서 발생하는 것으로, 대개는 선천성이지만 소수의 경우 후천적으로도 발생할 수 있습니다. 오목가슴은 약 400에서 1000명 당 1명 정도로 발생하며 새가슴에 비해 빈도가 높습니다.[34-39] 남성에게 더 영향을 준다고 되어 있어서 여성의 경우 그 정도가 심하지 않을 가능성이 더 높습니다.[40-41] 약 37%에서 가족력과 관련이 있다고 보고되어 있으므로 그 외에도 여러가지 원인이 작용하는 것을 알 수 있습니다.[42-46] 오목가슴은 가슴 중앙이 함몰되어 있기 때문에 남들보다 수술 후 가슴골이 빨리 생길 수 있으나 자칫하면 보형물이 점점 안쪽으로 몰려서 합유증 (symmastia)라는 부작용이 발생할 수도 있습니다. 따라서 이런 경우에는 보형물 지름이 가슴방 길이보다 짧고 높은 봉긋한 타입을 쓰거나, 사이즈를 줄이는 것이 안전합니다.[33] 수술 중에는 집도의가 내측 박리를 과하지 않게 하도록 신경써야 합니다.

새가슴(Pectus carinatum)은 오목가슴과 반대로 가슴 중앙이 앞쪽으로 돌출되는 모양을 띠게 됩니다. 마찬가지로 대개는 선천적으로 발생합니다. 오목가슴과 반대이기 때문에 발생할 수 있는 결과로 가슴골이 남들보다 먼 경우가 있습니다. 이런 부분을 방지하기 위해서는 보형물을 지름이 길고 돌출도가 낮은 타입을 선택하는 것이 좋고, 사이즈를 비교적 크게 넣는 편이 좋습니다. 집도의는 충분한 내측 박리를 통해 보형물이 안쪽으로 모일 수 있게 수술을 해야 하며, 경우에 따라 지방이식을 같이 병행할 수 있습니다.[33]

그럼 이렇게 오목가슴이나 새가슴이 있는 분들은 가슴수술을 하는 것이 바람직할까요? 결론은 확실한 'yes' 입니다. 흉곽 모양은 미용적, 기능적으로 사람에게 많은 영향을 줄 수 있으며, 경우에 따라 잘못된 바디 이미지 (body image)와 스트레스를 유발할 수 있습니다.[47-50] 호흡 등의 기능적인 문제가 있다면 흉부외과 원장님과 상의를 통해서 뼈 모양의 개선 등에 대한 논의가 필요합니다. 다행히 그런 경우는 매우 드물고, 미용적인 부분은 가슴수술을 통해서 충분히 개선할 수 있습니다. 가슴을 탄력 있는 보형물로 잘 채워드리면 피부가 맞게 늘어나면서 돌출된 뼈와 같은 체형적 특성이 훨씬 예쁘게 가려질 수 있습니다. 개인적으로 저는 오목가슴과 새가슴의 각각 체형에 맞는 여러가지 계획과 기술적 전략을 토대로 수술을 하고 있고 해당 내용 관련하여 논문을 집필하기도 하였습니다.[33] 평생 동안 선천적 흉곽 모양에 대한 크고 작은 스트레스를 받은 많은 분들이 수술 후 크게 만족하며 삶의 질이 향상되었다고 기뻐하였습니다.

가슴수술을 하면서 같이 많이 하는 시술은 무엇이 있을까? (feat. 부유방 & 유두성형)

이번에는 가슴수술을 하면서 같이 많이 하는 시술에 대해 알아보겠습니다. 기왕 수술 받기로 하였으니, 잠들었을 때 같이 하는 것이 편하겠죠. 대표적인 두 가지는 부유방과 유두성형입니다. 가슴과 직접 연결이 되어있기 때문에 전반적인 모양에도 영향을 주며, 같이 수술을 하여 개선하면 큰 만족감을 받으실 수 있습니다.

부유방 (accessory breast)은 보통의 유방 외에 추가적인 유방이나 유방 조직이 발생하는 상황을 말합니다. 부유방은 대개 겨드랑이에서 골반 부근까지 연결된 유방 발달 라인 (mammary ridge or milk line)에 위치할 수 있습니다. 이것은 태아가 발달하는 과정에서 유방 발달 라인 위에 존재하는 발달 조직이 제거되지 않은 경우에 생길 수 있습니다. 부유방은 일반적으로 별 문제가 없으며, 악성 종양이나 다른 심각한 질병의 징후로 나타날 가능성은 매우 낮습니다. 그러나 부유방은 때로 불편함, 통증, 염증 등을 유발할 수도 있고 생리주기에 따라 크기가 변하기도 합니다. 가장 흔한 부유방은 겨드랑이 쪽으로 볼록하게 튀어나오게 되며, 민소매나 수영복 등을 입을 때 눈에 띄어 스트레스를 유발합니다. 병적인 부유방은 직접적으로 겨드랑이 쪽으로 크게 절개를 하여 제거해야하지만, 흉터가 길게 남고 유병율도 매우 낮습니다. 대부분의 경우 퇴화된 부유방이 지방과 같이 축적되어 겨드랑이에 볼록하게 남아있게 되며, 간단한 지방과 유선 조직의 흡입으로 해결이 가능합니다. 겨드랑이 쪽으로 작은 구멍을 내서 진행하기 때문에 흉터도 거의 남지 않게 되며, 효과적으로 조직을 제거할 수 있습니다.

두번째로 같이 많이 하는 술기는 유두성형입니다. 유두성형은 크게 두 가지로 볼 수 있는데, 유두축소 (nipple reduction)와 함몰유두 (inverted nipple) 수술입니다. 먼저 유두축소에 대해 알아보겠습니다. 유두축소 수술은 유두가 지나치게 크거나 돌출되어 불편하거나 혹은 외모 상의 이유로 수술적으로 축소시키는 방법입니다. 선천적으로 큰 경우도 있고, 출산 및 수유 이후에 커지고 처진 유두가 남아있는 경우도 있습니다. 수술을 통해 유두 크기를 줄이거나 처진 모양을 개선하여 불편한 증상을 완화하고 자신감을 회복하는 것이 목적입니다. 일반적으로 유두 주위의 피부와 조직을 케익 조각을 잘라내듯이 절개하고, 유두의 크기와 모양을 조절한 후 남은 피부를 다시 교차시켜 봉합하는 방법을 사용합니다. 유두의 조직 특성상 흉터가 거의 보이지 않으며, 가슴수술과 같이 하여도 회복기간이 더 길어지거나 하지 않습니다.

유두축소 비슷하게 많이 하시는 것이 함몰유두입니다. 함몰유두

교정 수술은 유두가 내향적이거나 굴곡된 모양을 갖는 경우에 같이 하게 됩니다. 안쪽을 말린 유두를 밖으로 돌출시켜 보다 자연스러운 모양으로 만드는 것을 목적으로 합니다. 수술 절차는 일반적으로 유두 주위에 아주 작은 절개를 만든 후, 유두를 잡고 있는 섬유조직들을 풀어주게 됩니다. 그 다음 보다 자유롭게 나올 수 있게 된 유두가 다시 들어가지 않도록 여러 실을 이용하여 기둥을 세우고 고정하게 됩니다. 이에 대해 제가 쓴 논문이 있는데 그 방법에 따라 수술을 진행하고 있고, 유관도 보존하여 수유에도 영향이 없고 안전하다는 장점이 있습니다.[51] 흉터도 유두 조직 특성상 거의 보이지 않습니다. 유두를 보다 자연스럽게 외부로 돌출시켜 아름다운 가슴 라인을 만들 수 있기 때문에 해당되시는 분들은 가슴수술을 하면서 같이 많이 합니다.

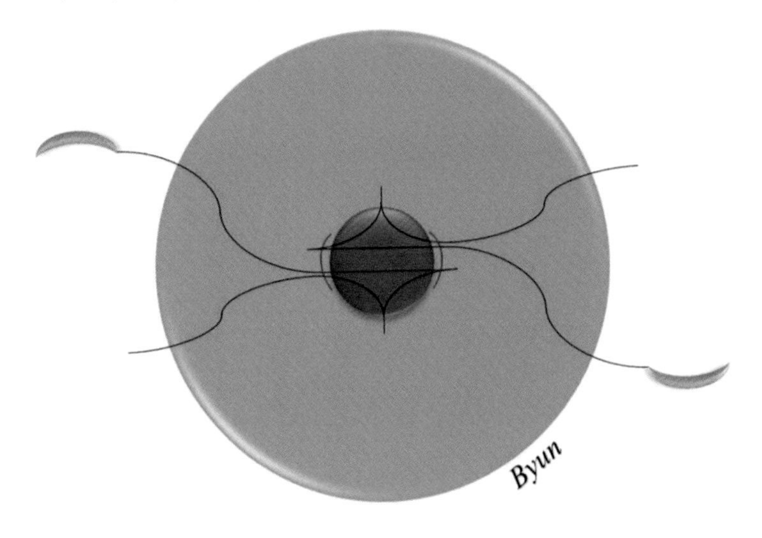

<이중삼각봉합 기술을 통한 함몰유두의 교정 및 유관의 보존>[51]

부유방과 유두성형 이외에도 같이 많이 하는 체형 수술로는 팔과 복부의 지방흡입, 피부가 처진 경우에는 복부거상 등의 수술이 있습니다. 또한 체형에 국한될 필요 없이 눈, 코, 윤곽 등의 다른 분야의 성형수술도 같은 날 협업을 통해 충분히 안전하게 진행될 수 있습니다.

수술 전 검사와 주의사항은 어떤 것이 있을까?

충분한 상담을 통해 가슴수술과 세부 내용을 결정하였다면, 수술 전 검사를 진행하게 됩니다. 가슴수술 전에는 일반적으로 다음과 같은 검사가 필요할 수 있습니다.

1. 혈액 검사: 수술 전 혈색소, 혈당, 간수치, 혈액형, 염증 마커 및 기타 항목을 검사할 수 있습니다.

2. 심전도: 심장 기능을 평가하기 위해 심전도 검사가 수행될 수 있습니다.

3. 흉부 엑스레이: 흉부와 폐를 확인하기 위해 수행될 수 있습니다.

4. 소변 검사: 신장 기능을 평가하기 위해 소변 검사가 수행될 수 있습니다.

5. 유방 초음파: 유방 조직과 유방 종양을 평가하기 위해 수행될 수 있습니다.

이러한 검사는 각 환자의 상황과 수술 종류에 따라 달라질 수 있으므로 전문의와 상담하여 어떤 검사가 필요한지 결정하는 것이 중요합니다. 또한 가지고 있는 기저 질환에 따라 추가적인 검사나 진료가 필요할 수 있습니다. 또한 복용 중인 약이나 알러지가 있다면 꼭 병원에 말씀을 해주셔야 합니다.

술 전 검사를 마쳤으면, 수술 전 주의사항도 중요하겠죠. 가슴 수술 전에는 다음과 같은 주의사항을 따르는 것이 중요합니다.

1. 수술 전 흡연, 음주 중단: 흡연은 수술 후 합병증의 위험을 증가시키므로 수술 전 중단하는 것이 좋습니다. 음주도 간수치와 염증에 영향을 줄 수 있으므로 자제하는 것이 좋습니다.

2. 복용 약물 확인: 수술 전 의료진과 함께 모든 약물 복용 여부를 확인하고, 특히 항응고제나 혈압약 등을 복용하는 경우 수술 전 일정 기간 동안 중단해야 할 수 있습니다.

3. 금식 및 수분 섭취 제한: 일반적으로 수술 전 8시간 동안 금식을 하고, 수술 전에는 수분 섭취도 필요한 약 복용할 때를 제외하고는 제한해야 합니다.

4. 옷차림: 수술 전에는 편한 옷을 입고 와서, 쉽게 환복할 수 있도록 준비해야 합니다.

5. 식습관 조절: 가슴수술 직전과 직후에는 무리한 다이어트를 하지 않는 것이 좋습니다. 볼륨이 커지고 피부가 팽창하는 수술이기 때문에 수술 전후의 급격한 체중 변화는 모양과 보형물이 자리잡는 데에 영향을 줄 수 있습니다.

이러한 사항은 환자의 상황과 수술 종류에 따라 달라질 수 있으므로 의료진과 상담하여 어떤 주의사항을 따라야 하는지 확인하는 것이 중요합니다. 특히 복용 약물은 종류와 기저 질환에 따라 언제 중단할지가 결정되기 때문에 다른 과 선생님과의 상의도 필요할 수 있습니다.

파트 정리

파트 2 에서는 가슴수술을 결심한 다음의 준비과정에 대해 알아보았습니다. 보통 가슴수술은 성장이 멈춘 후, 즉 18 세 이후에 하는 것이 좋습니다. 그러나 가슴 수술의 목적이 신체적, 정신적 불편함을 해결하는 것인 경우에는 연령에 상관없이 더 이른 시기에도 수술을 할 필요가 있습니다. 직장인들도 수술은 하고 싶은데 언제 하는 것이 좋을지 고민이 많을 수 있습니다. 결론적으로 가슴수술 후 회복과 복귀에 대해 일반적인 경우 크게 부담 갖지 않으셔도 됩니다. 직업마다 다를 수 있지만 대개 하루, 이틀만 쉬면 평소처럼 출근 할 수 있습니다. 또 많은 분들이 고민하는 것은 출산, 수유 전에 하는 것이 좋을지, 후에 하는 것이 좋을지 입니다. 선택할 수 있다면 출산, 수유 전에 하는 것이 장기적으로 모양도 예쁘고 거상의 가능성을 줄여줍니다. 혹시 어떤 이유로 재수술을 희망하신다면 처음 수술보다 6 개월은 지나고 하는 편이 결과가 안정적으로 좋습니다.

큰 맘 먹고 가슴수술을 결정을 하였으면, 어디에서 할 지에 대한 고민이 당연히 생깁니다. 병원을 정하는 기준은 사람마다 다르겠지만, 지인의 소개, 병원의 규모, 후기 검색, 광고의 익숙함 등 다양한 요소를 고려해서 정하게 됩니다. 규모가 크다고 꼭 수술을 잘하는 곳도 아니지만 반대로 작다고 꼭 잘하는 곳도 절대 아닙니다. 하지만 규모와 관계없이 가슴수술은 넓은 범위의 전신마취 수술이기 때문에 시스템을 잘 갖추었는지는 잘 확인해야 합니다. 또 사람마다 성격이 다르듯이 나와 상성이 더 잘 맞는 원장님이 따로 있을 수도 있습니다. 가장 중요한 건 내 몸을 맡길 수 있는 신뢰겠죠. 그 외에도 꼼꼼하게 설명을 잘하고 이야기를 잘 들어주는지, 경험이 많은지, 논문과 같은 학술활동 등도 중요한 참고사항이겠습니다.

가슴확대수술의 상담 내용은 크게 세가지로 볼 수 있는데, 절개부위, 보형물 브랜드, 보형물 사이즈 입니다. 절개 부위는 크게 밑선, 겨드랑이, 유륜으로 볼 수 있고, 통계적으로 요즘은 밑선 절개를 가장 많이 선호하십니다. 그 다음으로는 어느 회사의 보형물을 사용할지 정하게 됩니다. 현재 많이 사용되고 있는 보형물은 멘토(Mentor), 모티바 (Motiva), 세빈 (Sebbin) 등의 회사인데, 종종 새로운 브랜드가 출범하기도 하고 재료 공급 등의 문제로 생산이 중단되기도 합니다. 각각의 장단점이 다르기 때문에 충분한 설명을 듣고 결정하게 됩니다. 마지막으로 가장 중요한 보형물 사이즈입니다. 몇 cc 용량의 보형물을 넣는 것이 나에게 가장 예쁘게 나타날지 충분한 상의를 통해 최종 결정하게 됩니다.

사이즈를 정할 때 중요한 것 중 하나가 바로 흉곽의 모양입니다. 흉곽 각도 등에 따라서 사이즈를 조금 더 크게 넣거나 작게 넣는 것이 좋은 결과로 이어질 수도 있거든요. 대표적인 예가 바로 오목가슴과 새가슴입니다. 오목가슴은 가슴 중앙의 뼈가 깊어지는 형태이고, 새가슴은 앞쪽으로 돌출된 형태입니다. 완벽하게 가슴이 평면인 사람은 거의 없기 때문에 정도의 차이가 있을 뿐, 많은 분들이 경한 오목가슴이나 새가슴의 흉곽을 가지고 있습니다. 어떤 체형이더라도 그에 맞는 탄력 있는 보형물로 잘 채워드리면 피부가 맞게 늘어나면서 돌출된 뼈와 같은 체형적 특성이 훨씬 예쁘게 가려질 수 있습니다.

가슴수술과 같이 부가적으로 하는 시술로는 부유방과 유두성형이 있습니다. 흉터도 거의 없고 회복에도 영향을 미치지 않기 때문에 평소에 신경 쓰였던 부위가 있다면 가슴수술을 하면서 같이 하면 훨씬 만족도를 높일 수 있습니다.

수술 전 검사로는 혈액 검사, 심전도, 흉부 엑스레이, 소변 검사, 유방 초음파 등이 있습니다. 또한 가지고 있는 기저 질환에 따라 추가적인 검사나 진료가 필요할 수 있습니다. 또한 복용 중인 약이나 알러지가 있다면 꼭 병원에 말씀을 해주셔야 합니다.

Part 3

수술 후 관리, 이렇게 편해요

언제부터 일상생활이 가능할까?

가슴수술이 왠지 모르게 큰 수술일 것 같고, 회복이 오래 걸릴까 망설이시는 분들이 계십니다. 실제 상담 시에도 언제부터 일상생활이 가능하고 출근이 되는지 많이들 물어보십니다. 회사 일정이 바쁘거나, 며칠이라도 쉬는 것이 직장 선배나 동료들 눈치가 보일 수도 있겠죠. 팔을 많이 쓰시는 분들은 며칠 쉬고 출근하여도 힘들지 않을까 걱정이 될 수 있습니다. 또 여름에는 땀도 많이 날 수 있는데 언제부터 편하게 샤워할 수 있는지도 중요합니다.

결론적으로 말씀드리면, 무거운 것을 들거나 무리하게 팔을 쓰지만 않으면 수술 다음날이면 웬만한 일상생활은 다 가능합니다. 통증의 정도와 회복 시간은 물론 개인 차이가 있지만, 대게 하루, 이틀이면 잘 회복하여 외출도 잘 하십니다. 저에게 수술하신 분들께

여쭤보면, 출산을 해보신 분들은 대개 출산의 통증의 1/10도 안되는 것 같다고 하시고, 출산 경험이 없는 분들은 복근운동이나 팔굽혀펴기 하고 다음날 근육이 조금 불편하게 당기는 느낌 정도라고 많이 대답하십니다. 실제로 가슴수술은 해부학적으로 파괴적인 수술이 전혀 아닙니다. 원래 우리 몸에는 대흉근이라는 가슴근육이 있고 갈비뼈와 근육 사이에 공간이 있습니다. 해당 부분을 작은 절개선으로 안전하고 깔끔하게 박리를 하여 보형물을 넣고 나오면 되는 수술입니다. 뼈를 깎거나 구조적으로 무언가를 없애거나 하는 수술이 아니죠. 오히려 조금이라도 더 조직의 볼륨이 있는 편이 자연스럽기 때문에, 가슴축소가 아닌 이상 기존 환자의 모든 구조는 다 보존됩니다.

보통 수술 후 몇 가지만 주의사항을 말씀드리는데, 한 달 정도 무거운 물건을 들지 않는 것과 되도록 옆으로 눕지 않는 것입니다. 일반 가슴확대에서 보형물은 대개 이중평면으로 대흉근 아래에 들어가게 되는데, 근육이 초반에 자꾸 힘을 쓰고 수축하면 자리잡기 전에 위치가 이동할 수 있고 부기나 통증이 유발될 수 있습니다. 박리 방법인 이중평면에 대해서는 이후 파트에서 더 설명드리겠습니다. 잠 잘 때 옆으로 눕는 것도 보형물이 자리를 잡기 전에 한쪽으로 쏠리는 현상이 있을 수 있기 때문에 바로 누워 주무시는 것이 좋습니다.

샤워의 경우 가슴확대의 경우 절개선도 짧고, 녹는 실과 피부용 본드로 봉합하기 때문에 실밥이 없어서 빠른 시기에 가능합니다. 대개 2-3일 정도 지나면 안전하고, 대신 본드가 떨어지지 않게 해당 부위는 문지르지 않는 것이 좋겠죠. 가벼운 산책과 외출, 팔을 무리하지 않는 간단한 집안일 등도 수술 다음날이면 가능합니다. 운전도 금방 가능합니다. 수술 당일은 마취를 하기 때문에 금지이며, 그 다음날부터는 무리한 코스나 속도가 아니면 운전하셔도 됩니다. 무리한 코스나 속도는 지나치게 덜컹거리는 도로나 과속 중에 급하게 핸들을 틀거나 하는 경우는 팔과 가슴에 무리가 갈 수 있기 때문에 피하시는 것이 좋습니다. 출근도 마찬가지로 하루, 이틀 쉬고 가능합니다. 대신 팔은 무리하지 않는 것이 좋기 때문에 직장에 따라 조금씩 다를 수 있습니다. 운동과 해당 업종의 경우에 대해서는 다음 단원에서 말씀드리겠습니다. 앞에 언급한 대로 저희 병원 많은 직원들이 저에게 수술을 받고 이틀 정도 쉬고 출근해서 무리없이 근무하였습니다.

운동은 언제부터 가능할까?

요즘은 워낙 자기관리와 체형이 중요한 시대이다 보니 피트니스, 요가, 필라테스, 골프, 테니스 등 굉장히 많은 운동을 하시고 언제부터 가능한지 궁금해 하십니다. 또한 헬스 트레이너나 운동 강사님들도 많이 수술을 하시기 때문에 복귀와 언제부터 본격적으로 운동을 할 수 있는지 중요합니다.

앞 단원에서 언급하였듯이 첫 한 달 정도는 팔을 무리하거나 무거운 물건을 들지 않는 것이 좋습니다. 따라서 대부분 상체 운동도 여기에 해당되어 연기하는 것이 좋겠죠. 물론 회복의 개인차가 있고, 근육 양도 각각 다르기 때문에 조금 더 당겨지거나 길어질 수 있습니다. 대신에 한 달 동안 아무런 운동도 못 하는 것은 아닙니다. 전반적인 회복은 빠른 수술이기 때문에 다음날이면 외출과 산

책은 가능하고, 1-2 주면 맨몸 스쿼트 (squat), 런지 (lunge)나 팔을 쓰지 않는 코어 운동도 가능합니다. 앉아서 상체가 과하게 흔들리지 않는 실내 자전거, 스테퍼 등의 유산소도 충분히 빠르게 가능합니다. 팔의 경우도 가벼운 스트레칭은 충분히 가능하고, 대신 너무 빠르게 움직이거나 팔을 많이 회전하는 동작은 자제하는 것이 좋겠습니다. 헬스 트레이너 분들께도 마찬가지로 설명 드리고, 출근은 금방 할 수 있으나 개인 수업 (PT)을 진행할 때에 무거운 원판은 직접 옮기지 말고 회원님이 끼우게 하도록 안내합니다. 저도 근력운동을 좋아하는데, 원판을 직접 끼우고 빼는 것까지가 웨이트 트레이닝 (weight training)이라 하였습니다.

첫 한 달이 지나면 훨씬 자유로워 집니다. 이제 어느정도 무게감 있는 물체를 드는 것도 가능하고 가벼운 상체 운동도 시작할 수 있습니다. 대신 한동안 팔을 많이 쓰지 않았으니 스트레칭을 해주시고 가벼운 무게부터 운동을 시작해야 하겠죠. 상당 부분의 웨이트 트레이닝이나 요가, 필라테스 동작도 가능한데 그래도 가슴이 직접적으로 큰 하중을 받는 동작은 조심하는 것이 좋습니다. 근력 운동 중에는 벤치 프레스 (bench press)나 푸쉬업 (push up)은 조심해야 하며, 다른 운동 중에도 물구나무를 서거나 플랭크 (flank) 자세로 어깨와 가슴에 체중이 많이 실리는 동작은 하시면 안됩니다.

본격적인 고중량의 가슴 운동은 약 3개월이 지나고 하시길 권장 드립니다. 보통 와이어 있거나 가슴을 모으는 브라를 착용하는 것도 3개월 이후로 권장 드리는데, 보형물이 안정적으로 자리를 잡고 어느정도 고정되는 것이 그 정도 기간이기 때문입니다. 골프, 테니스와 같이 체중 이동이 많고 빠르게 팔과 어깨가 회전하는 운동도 그 정도 기간이 지나고 치는 것이 좋습니다. 대부분의 경우 보형물은 이중평면이라 하여 가슴 근육 아래에 위치하게 되는데, 초반에

격하게 근육이 수축하거나 한 쪽으로 체중 이동이 계속 있으면 수술적으로 알맞게 박리를 하여 모양을 만들어 드려도 일부 피부가 특정 방향으로 늘어나면서 비대칭이 생길 수 있습니다.

저는 감사하게도 피트니스 대회 시상에 참여한 적이 있고, 대회에 출전하는 분들도 많이 찾아 주십니다. 이런 분들이 걱정하는 것 중 하나가 수술 후 운동을 못하여 근육이 다 없어지거나 그로 인해 대회에 좋은 성적을 거두지 못하는 것입니다. 그럴 때 제가 설명드리는 것이, 여성 분들은 아무리 벤치 프레스를 고중량을 치면서 대흉근을 키우더라도 볼륨이 커지는 데에 한계가 있으며 그 모양이 각져서 꼭 미용적이지는 않다는 것입니다. 가슴수술을 큰 맘 먹고 오셨으니 이 수술만으로도 가슴은 충분히 풍만해지고 예뻐질 수 있습니다. 따라서 우리가 수술 후에 집중해야 하는 것은 오히려 후면사슬 (posterior chain)과 데피니션 (definition)입니다. 후면사슬은 우리 몸 뒤쪽을 따라 연결되는 근육과 인대들의 집합체입니다. 이는 우리 몸의 균형과 자세를 유지하는 중요한 역할을 하죠. 척추에도 중요한 광배근과 척추기립근, 힙 볼륨을 위한 대둔근, 허벅지 뒤쪽에 햄스트링이라 불리는 넓적다리뒤근육 등 건강을 위해서나 미용적인 체형을 위해서나 중요한 그룹입니다. 이들은 서있거나 걷거나 뛰거나 운동을 할 때, 뒤쪽의 균형과 자세를 유지하고, 체중을 분산시키고, 움직임을 안정화하는데 중요한 역할을 합니다. 데피니션의 경우 근육의 선명도라 할 수 있는데 체지방을 효과적으로 줄이는 것이 중요합니다. 요즘 바디 프로필 촬영도 많이 하면서 잘 아시는데요. 근육을 많이 키우더라도 체지방이 높으면 다 덮이게 되기 때문에 미용적으로 마음에 드는 바디 프로필이나 대회 결과가 나오기 힘듭니다. 따라서 가슴의 예쁜 모양과 볼륨은 전문의에게 맡겨 주시고, 다른 부분에 집중을 하시면 분명 좋은 결과가 있으실 겁니다.

다시 한 번 말씀드리면 회복의 속도는 개인차가 있습니다. 사람마다 피부 탄력도 다르고 가슴 근육의 두께와 힘도 다릅니다. 고중량 운동은 서서히 속도를 조절하며 올라가야 하고, 부상 방지를 위해 몸의 소리에 귀 기울이는 것이 중요합니다.

수술 후 병원에서 어떤 관리를 받을까?

가슴확대수술의 경우 절개선이 작고, 녹는 실과 피부용 본드로 봉합하기 때문에 실밥이 없어 따로 상처 관리 하실 것이 없습니다. 그 외 부분에 대해서 병원에 내원하셔서 여러가지 관리를 받게 됩니다. 상처 소독 같은 것이 없기 때문에, 일반적으로 잡아드리는 예약 시간을 칼 같이 지키실 필요가 없고 스케줄에 맞게 내원하시면 됩니다. 병원마다 케어 프로그램이 조금씩 다를 수도 있습니다.

통상적으로 수술 후 일주일 내로 내원하여 주치의와 특이사항은 없는지 불편한 점은 없는지 확인을 합니다. 가슴 아래쪽으로 모양을 잡는 테이프 같은 것을 사용한 경우 다 제거하게 됩니다. 그 다음주 정도에 근육 이완과 부기 완화에 좋은 림프 마사지, 고주파 관리, 재생 레이저 (힐라이트, 스마트룩스 등), 가슴 석고팩 등의 케어를 받게 됩니다. 한 달이 지나면 흉터에 대한 관리가 시작됩니다. 대개 한 달 간격으로 여러차례 흉터 레이저를 받게 됩니다. 혹시나 켈로이드 (keloid) 체질이거나 비후성 반흔 (hypertrophic scar)의 조짐이 보이면 상황에 맞게 흉터 주사를 놓아 드리기도 합니다. 흉터 연고도 한 달 차부터 매일 꾸준히 발라주시도록 안내합니다.

수술 이후에는 병원에서 체형에 맞게 보정 속옷을 착용을 해드리는데, 보통 한 달에서 세 달 정도 착용하게 됩니다. 절개 위치에 따라, 그리고 경과를 볼 때의 모양과 상황에 따라 그 기간은 개인마다 달라질 수 있습니다. 특이사항이 없으면 대략 한 달 째부터는 스포츠 브라를 착용하셔도 됩니다. 스포츠 브라를 고를 때는 가슴은 편안하게 감싸면서 아래에 밑선 밴드는 다소 두껍거나 탄탄하게 탄성이 좋은 제품으로 골라서 밑선 수평에 맞게 착용하시면 됩니다. 간혹 브라렛이나 편한 제품 중에 밑선 밴드가 흐물거리는 제품도 있는데 이런 것은 착용하지 않는 것이 좋습니다. 탄탄하게 밑선을 잘 수평을 유지하면 그 외 피부는 알아서 보형물에 맞춰서 잘 늘어나면서 갈수록 모양도 자연스러워지고 촉감도 좋아집니다. 피부와 근육은 6개월 이상 늘어나기 때문에 초반에 단단하게 느껴지거나 가슴골이 조금 먼 것 같아도 걱정하지 않으셔도 됩니다. 3개월 정도 지나면 자리를 잘 잡은 시점이기 때문에 와이어 브라나 푸쉬업 브라 같이 여러가지 다른 브라를 입으셔도 됩니다. 대신 피부 늘어짐을 방지하기 위해 당분간은 노브라 (no bra)는 하지 않는 것이 좋습니다.

수술 후 복용하는 약에 대해서도 잠깐 말씀드리면, 첫 주에는 항생제, 진통소염제, 소화제 등이 포함된 약들을 처방해드립니다. 그 이후에는 구형구축을 예방하는 약을 드리며, 약 3개월 드시길 권장드립니다. 구형구축 예방약을 안 드셔도 부작용이 생길 확률은 매우 낮지만, 드시면 예방하는 데에 도움이 된다고 여러 연구가 보고하고 있습니다. 아주 드물게 두드러기나 소화 장애와 같은 약 부작용이 있을 수 있는데, 그런 경우에는 주치의와 상의 후 중단합니다. 정말 낮은 확률을 뚫고 가슴에 구형구축이 생긴다면, 당연히 주치의가 필요한 교정을 해드리며 재수술에 대해서는 이후 단원에서 다시 말씀드리겠습니다.

수술 후 출산, 수유나 유방암 검진은 어떻게 될까?

앞서 가슴수술을 결심하였다면 출산, 수유 전에 하는 것이 좋을 수 있다고 설명하였습니다. 그러면 수술을 한 다음에 임신을 하면 어떤 영향이 있을까요? 일단 가슴성형을 하여도 임신의 가능성이나 신체 기능에 영향을 주는 것은 없습니다. 가슴이 커질 뿐, 이후에 임신을 하면 수술하지 않은 분의 임신과 동일한 과정과 변화를 거칩니다. 유관이 확장되고 가슴 조직이 커지게 됩니다. 수술 후 조심하느라 임신 시도를 못 할 이유도 없습니다.

수유도 궁금해 하시는 분들이 많은데 마찬가지로 별 영향이 없습니다. 특히 요즘은 대부분의 가슴확대수술의 경우 이중평면으로 대흉근 아래에 보형물을 삽입하기 때문에, 모유가 만들어지는 유선 조직과 보형물은 아예 다른 층으로 분리되어 있습니다. 오히려 가슴 안쪽에 탄력 있는 보형물이 조직을 지지를 하면, 유선 조직이 살짝 눌리면서 수유가 더 잘되었다는 경험도 여러차례 들었습니다. 따라서 출산 전의 여성분들도 가슴수술로 인한 산부인과적 안전에 대한 걱정은 하지 않으셔도 됩니다.

가슴수술을 받은 여성들도 유방암 검진을 받을 수 있습니다. 보통 40세 이상부터 검사가 권장되며, 일반적으로 유방암 검진은 유방촬영술 (맘모그래피)이나 유방 초음파 검사를 통해 이루어집니다.[19] 가슴확대수술 후 유방촬영술은 기술적 노하우가 필요하며, 기사님에게 미리 말씀해주시는 것이 좋습니다. 워낙 전세계적으로 가슴수술은 많이 하기 때문에 기사님들도 대부분 충분히 경험이 있으며, 보형물에 영향 없이 안전하게 맘모그래피가 가능합니다. 또한, 유방 초음파 검사나 자기공명영상 (MRI) 검사를 대신 사용할 수도 있습니다.

대부분의 가슴확대수술의 경우 보형물이 대흉근보다 깊게 있기 때문에, 유방암 검진을 하는 유선 조직과 층이 분리되어 있어 서로 영향이 없고 판독에도 크게 어려움이 없습니다. 하지만 가슴 지방이식의 경우는 다릅니다. 가슴의 지방층과 유선 조직에 골고루 지방을 이식하는 방법이므로 추후 이식한 지방이 석회화가 되거나 뭉쳐있으면 결과의 해석이 어려울 수 있습니다. 검진 전에 의료진에게 수술을 받았다는 사실을 알리고 수술의 종류와 시기를 알려주는 것이 중요합니다. 간혹 지방이식을 하였다가 보형물로 가슴확대를 원하여 오신 분들 중 석회화된 지방이 관찰되면 맘모톰으로 지방종을 일부 제거하고 확대를 시행하는 경우도 있습니다. 또 요즘은 찾아보기 힘들지만 필러는 더 어렵습니다. 외국에서 불법 필러 등을 가슴에 주입한 경우 검진 판독에도 영향을 줄 수 있고 완전한 제거도 어려울 수 있습니다. 이런 부분을 고려하면 유방 검진의 안전성이나 충분한 볼륨의 증가를 위해서는 지방이식보다는 보형물을 이용한 가슴확대수술이 권장됩니다.

가능한 합병증은 무엇이 있을까?

아무래도 어느 수술이건 합병증이 있을 수 있기 때문에 망설이거나 걱정하시는 분들도 계실 겁니다. 이번 챕터에서는 가슴수술 후 발생할 수 있는 합병증에 대해 알아보겠습니다. 여러가지 현상이 발생할 수는 있지만 결론적으로 그 확률이나 위험도는 지극히 낮습니다. 수술 후 시기별로 발생할 수 있는 것들에 대해 알아보겠습니다.

우선 수술 후 초반에 생길 수 있는 합병증은 출혈로 인한 혈종(hematoma)으로 볼 수 있습니다. 수술 중 지혈이 덜 되었거나, 완벽하게 지혈이 되고 수술을 마친 후에도 환자분 본인도 모르게 가슴과 팔에 큰 힘을 주거나, 혈압이 높아지거나, 무엇에 부딪히는 등 충격이 발생하면 가슴 안쪽의 작은 혈관이 열리면서 출혈이 발생할 수 있습니다. 대부분의 경우 출혈은 저절로 멎게 되고, 몇 주 간 멍이 들었다가 사라지게 됩니다. 하지만 굵은 혈관에서 출혈이 발생하였거나 압박을 하여도 스스로 빠르게 멈추지 않는 경우에는 가슴 안쪽으로 피가 고이면서 혈종이 발생하게 됩니다. 이러한 경우에는 그 양에 따라서 필요시 안쪽에 고인 혈종을 빼는 시술을 해야할 수도 있습니다. 대개 적은 양의 혈액은 금방 흡수되고 멍 정도로 그치게 되지만, 양이 많으면 흡수가 오래 걸리고 불편하기 때문에 빠르게 제거하는 것이 좋습니다.

혈종이 발생하여도 보통 장기적인 미용적인 결과에 큰 영향은 없습니다. 개인적으로 매년 통계를 내어보면 늘 0%에 가깝게 1% 미만의 경우에서만 드물게 발생하였으며, 빠르게 적절하게 조치를 취하면 전혀 후유증 없이 잘 회복할 수 있습니다.[33] 혈종의 가능성을 줄이기 위해 홍삼, 한약 등의 약은 수술 후 한 달 이상 드시지 않는 것이 좋고, 자가 지혈을 지연시키는 약물을 복용 중이신지 확인 및 조절이 필요할 수도 있습니다.

그 외 초반에 발생할 수 있는 것으로 드물지만 염증이 있을 수 있습니다. 대개 적절한 항생제를 투약하면 금방 회복되지만, 시기를 놓치면 장액종 (seroma)이나 다른 합병증으로 이어질 수 있기 때문에 초반에 바른 치료가 필요합니다. 필요 시 며칠 마다 주사 항생제를 사용할 수도 있습니다.

그 다음 조금 장기적으로 발생할 수 있는 합병증은 구형구축 (capsular contracture) 입니다. 보형물이 가슴에 들어가게 되면 우리 몸에서는 자연적인 반응으로 섬유조직으로 구성된 얇은 막을 만들어서 보형물을 감싸게 됩니다. 이를 피막 (capsule)이라고 부릅니다. 피막은 정상적인 반응으로 누구나 생기는 것이며, 보호막처럼 얇고 부드럽게 보형물을 둘러쌉니다. 하지만 드물게 이 피막이 보통보다 두껍고 단단한 섬유조직들로 형성이 되면서 보형물을 압박하는 경우가 있습니다. 이럴 때 피막이 수축을 하면서 보형물을 동그란 구의 모양으로 압박하게 되는데, 그래서 붙여진 명칭이 구형구축입니다.

구형구축은 가슴수술 후 1년 내에 발생할 수 있으며, 발생 위험 요인으로는 수술 후 미세 감염, 충격, 혈종, 유전적 체질 등이 있습니다. 특징적으로 한쪽 가슴의 촉감이 반대쪽보다 단단해지거나 수축이되면서 올라가는 것을 관찰할 수 있습니다. 경한 구형구축의 경우에는 잘 모르시는 경우도 많고, 약간 단단해졌다가 다시 부드러워지는 경우도 있습니다. 하지만 심한 구형구축의 경우 눈에 띄는 비대칭을 유발하기 때문에 수술적 교정이 필요할 수 있습니다. 응급 사항은 아니니 급한 교정이 필요하지는 않으며, 대개 첫 수술 후 6개월 이상 지나고 하는 것이 좋습니다. 그 기간 동안 부분적으로 다시 부드러워지거나 내려오는 경우도 있기 때문이죠. 재교정 전까지는 초반에 입었던 보정속옷을 다시 착용하는 것이 좋을 수도 있습니다.

구형구축은 정상적인 신체 반응이 조금 과하게 표출된 경우이기 때문에 건강상 해롭거나 하지는 않습니다. 그리고 수술적으로 구형구축을 교정하게 되면 즉각적으로 비대칭이나 촉감이 개선이 되며, 회복기간이나 통증도 첫 수술에 비하면 거의 없다고 보셔도 되니 너무 부담 갖지 않으셔도 됩니다. 물론 예방하는 것이 가장 중요하기 때문에 수술 후 공통적으로 구형구축 예방약을 처방해 드리게 되며, 보형물의 종류에 따라서도 구형구축의 확률이 조금씩 다르기 때문에 수술 전 충분한 상의도 필요합니다. 개인적인 통계로는 1% 미만에서 드물게 발생하였으며, 모두 문제없이 재교정 해드렸습니

다.[3, 33]

위에 언급한 혈종이나 구형구축보다도 낮은 확률로 발생할 수 있는 장기적인 합병증은 보형물 파열입니다. 요즘 보형물은 파열될 확률이 거의 없다고 보셔도 됩니다. 인터넷에 올라가 있는 몇몇 영상들을 보시면 자동차가 밟고 지나가거나 높은 건물에서 떨어뜨려도 전혀 손상되지 않는 모습을 볼 수 있습니다.

다만 옛날 보형물들은 지금과 기술적으로 차이가 많이 났기 때문에 파열 가능성이 있으며, 종종 건강검진에서 발견하시고 교체를 위해 내원하십니다. 당연히 걱정이 되시고 교체하는 것이 맞긴 하지만 파열이 된 것을 모른 채 오래 지내셨다 하더라도 건강상 문제가 발생하지는 않습니다. 앞에 설명한 피막이 보호막처럼 감싸고 있기 때문에 보형물의 내용물이 다른 곳으로 이동하지도 않고, 코히시브젤 특성상 탄성이 좋아 껍질이 파열되어도 보통 제자리에 크게 벗어나지 않습니다. 요즘은 사용하지 않는 식염수 보형물의 경우 식염수가 새어 나오면 볼륨이 줄어들 수 있습니다. 다시 말씀드리지만 요즘 보형물은 파열 확률이 거의 없기 때문에 안전하게 교체 없이 잘 유지할 수 있습니다.

마지막으로 말씀드릴 합병증은 바로 흉터입니다. 드물게 흉터가 조금 도드라지게 올라오는 경우 비후성 반흔 (hypertrophic scar)라고 부릅니다. 물론 흉터가 보통 가슴 밑선이나 겨드랑이에 있어서 정면에서 봐도 보이지는 않지만 신경 쓰일 수 있죠. 이를 예방하기 위해서 수술 후 한 달 째부터는 흉터 연고를 꾸준히 발라 주시는 것이 좋습니다. 또한 병원에서 진행하는 흉터 레이저도 도움이 되지요. 체질상 흉터가 부풀어 오르는 경우가 있는데 초반에 주치의와 확인 후 흉터 주사를 놓아 드리면 훨씬 빨리 가라앉고 부드러워지는 데에 도움이 됩니다. 개인적인 통계에서 이러한 흉터 확률은 1% 미만으로 흔하지 않으며, 적절한 흉터 관리가 시행된다면 빠르게 좋아질 수 있습니다.[33]

재수술은 어떤 경우에 할까?

독자 분들 중에 처음 수술이시면 혹시 나중에 재수술을 해야할까 걱정이 될 수도 있고, 예전에 하셨는데 어떤 이유로 재수술을 결심하셨을 수도 있습니다. 일단 가슴수술은 다른 성형수술 중에서도 재수술의 빈도가 굉장히 낮은 편입니다. 수술 결과가 안정적으로 나오고, 요즘 보형물도 워낙 퀄리티가 좋기 때문에 문제가 잘 발생하지 않습니다. 그럼에도 재수술은 어떤 경우에 진행할까요? 일반적인 원인들을 살펴보겠습니다.

가슴 재수술의 가장 흔한 원인은 사이즈를 보다 키우기 위해서입니다. 요즘에야 C컵, D컵을 많이들 하시지만 예전에는 사용하는 보형물의 사이즈도 전반적으로 작았고 B컵을 더 많이 했습니다. 따라서 미용적으로나 생활하실 때 아무런 문제가 없어도 사이즈가 아쉬워서 재수술을 할 수 있습니다. 재수술은 회복이 빠르고 통증이 적기 때문에 첫 수술보다도 부담이 없으며, 피부가 이미 늘어난 상태이기 때문에 굉장히 큰 사이즈도 안전하게 진행할 수 있습니다.

사이즈 키우기와 비슷하게 외관상 문제가 없어도, 보형물을 보다 좋은 제품으로 바꾸기 위해서도 재수술의 원인입니다. 예전의 식염수 보형물이나 텍스쳐 (textured) 보형물은 쉘 (shell)이 두껍고 질긴 편이기 때문에 요즘의 보형물과 촉감과 모양이 차이가 있습니다. 따라서 문제가 없더라도 그런 부분들을 개선하기 위해 재수술을 희망하시는 분들이 있습니다. 요즘 보형물들은 모양과 촉감도 자연스럽고, 교체할 필요도 없습니다.

다른 원인으로는 수술 결과에서의 교정이 필요한 경우입니다. 앞서 말씀드린 구형구축이 대표적인 예라 할 수 있습니다. 구형구축은 단계에 따라 다르지만 진행이 되면서 한쪽 가슴 보형물이 위로 올라가는 증상을 보입니다. 피부가 수축하면서 밑선의 비대칭이 발생하기 때문에 재교정으로 두꺼워진 피막을 제거하거나 풀어주어야 합니다. 재교정을 해드리면 즉각적으로 피부가 편해지면서 보형물이 다시 내려와서 대칭이 잘 맞게 됩니다. 그리고 보형물이 파열된 경우에도 역시 재수술을 통한 교체가 필요합니다. 요즘 보형물은 그런 경우가 매우 드물지만, 오래전 하신 분들 중 건강검진 때 우연히 발견하여 오시는 분들이 종종 계십니다. 재수술을 통해 기존 보형물과 잔여물을 완벽하게 제거 후, 충분히 가슴방을 세척한 다음 새로운 보형물을 넣게 됩니다. 앞 단원에서 말씀드렸듯이 이러한 구형구축이나 파열은 굉장히 드문 합병증이며, 재교정을 통해 충분히 안전하게 해결할 수 있습니다. 그리고 다른 원인에 의해서든 재수술을 하는 경우 피부가 이미 여유가 있기 때문에 첫 수술에 비해 회복이 빠르며 통증이 거의 없습니다. 일상생활 복귀는 바로 가능하며, 운동도 첫 수술에 비해 훨씬 빠르게 할 수 있습니다. 요약하자면, 재수술의 확률 자체가 굉장히 낮으며, 혹시나 하게 되더라도 걱정하지 않으셔도 됩니다.

파트 정리

이번 파트에서는 수술 이후의 과정과 관리에 대해 알아보았습니다. 가장 중요한 일상생활입니다. 무거운 것을 들거나 무리하게 팔을 쓰지만 않으면 수술 다음날이면 웬만한 생활은 다 가능합니다. 통증의 정도와 회복 시간은 물론 개인 차이가 있지만, 대게 하루, 이틀이면 잘 회복하시고 외출도 잘 하십니다. 보통 수술 후 몇 가지만 주의사항을 말씀드리는데, 한 달 정도 무거운 물건을 들지 않는 것과 되도록 옆으로 눕지 않는 것입니다. 샤워도 가슴확대의 경우 절개선도 짧고, 녹는 실과 피부용 본드로 봉합하기 때문에 실밥이 없어서 빠른 시기에 가능합니다.

요즘은 워낙 자기관리와 체형이 중요한 시대이다 보니 언제부터 운동이 가능한지 많이들 궁금해 하십니다. 첫 한 달 정도는 팔을 무리하거나 무거운 물건을 들지 않는 것이 좋습니다. 따라서 대부분 상체 운동도 여기에 해당되어 연기하는 것이 좋겠죠. 물론 회복의 개인차가 있고, 근육양도 각각 다르기 때문에 조금 더 당겨지거나 길어질 수 있습니다. 한 달이 지나면 어느정도 무게감 있는 물체를 드는 것도 가능하고 가벼운 상체 운동도 시작할 수 있습니다. 대신 한동안 팔을 많이 쓰지 않았으니 스트레칭을 해주시고 가벼운 무게부터 운동을 시작해야 하겠죠.

가슴확대수술의 경우 절개선이 작고, 녹는 실과 피부용 본드로 봉합하기 때문에 실밥이 없어 따로 상처 관리 하실 것이 없습니다. 통상적으로 수술 후 일주일 내로 내원하여 주치의와 특이사항은 없는지 불편한 점은 없는지 확인을 합니다. 가슴 아래쪽으로 모양을 잡는 테이프 같은 것을 사용한 경우 다 제거하게 됩니다. 그 다음 주 정도에 근육 이완과 부기 완화에 좋은 림프 마사지, 고주파 관리, 재생 레이저 (힐라이트, 스마트룩스 등), 가슴 석고팩 등의 케어를 받게 됩니다. 한 달이 지나면 흉터에 대한 관리가 시작됩니다. 대개 한 달 간격으로 여러차례 흉터 레이저를 받게 됩니다. 수술 이후에는 병원에서 체형에 맞게 보정 속옷을 착용을 해드리는데, 보통 한 달에서 세 달 정도 착용하게 됩니다.

가슴성형을 하여도 임신의 가능성이나 신체 기능에 영향을 주는 것은 없습니다. 가슴이 커질 뿐, 이후에 임신을 하면 수술하지 않은 분의 임신과 동일한 과정과 변화를 거칩니다. 모유수유도 당연히 안전하게 가능합니다. 가슴수술을 받은 여성들도 유방암 검진을 받을 수 있습니다. 보통 40 세 이상부터 검사가 권장되며, 일반적으로 유방암 검진은 유방촬영술 (맘모그래피)이나 유방 초음파 검사를 통해 이루어집니다.

그 다음으로 드물지만 나타날 수 있는 합병증에 대해 알아보았습니다. 수술 후 초반에 생길 수 있는 합병증은 출혈로 인한 혈종이 있습니다. 대부분 저절로 멎고 멍이 흡수되지만 양이 많은 경우 시간이 오래 걸리고 불편하기 때문에 제거하는 것이 좋습니다. 그 다음 조금 장기적으로 발생할 수 있는 합병증은 구형구축입니다. 특징적으로 한쪽 가슴의 촉감이 반대쪽보다 단단해지거나 수축이되면서 올라가는 것을 관찰할 수 있습니다. 경한 구형구축의 경우에는 잘 모르시거나 다시 부드러워지는 경우도 있습니다. 하지만 심한 구형구축의 경우 눈에 띄는 비대칭을 유발하기 때문에 수술적 교정이 필요할 수 있습니다. 또 우려할 수 있는 것은 보형물 파열인데 요즘 보형물은 파열될 확률이 거의 없다고 보셔도 됩니다. 어느 합병증이든 1% 미만으로 지극히 낮습니다. 가슴수술은 다른 성형수술 중에서도 재수술의 빈도가 굉장히 낮은 편입니다. 가장 흔한 원인은 사이즈를 보다 키우기 위해서 입니다.

Part 4

누구나 한 번쯤 생각해 본 가슴 관련 고민과 궁금증, 해결해 드립니다

딸기우유를 먹으면 가슴이 커질까?

한 번 즘 들어보신 속설이죠? 아쉽지만 딸기우유를 드셔도 선택적으로 가슴이 커지지 않습니다. 일단 딸기우유에 딸기의 함유량은 지극히 낮아서 일반 우유랑 큰 차이가 없으며, 왜 딸기우유로 소문이 났나 하면 딸기에 함유된 파이토에스트로겐 (phytoestrogen)이라는 식물성 호르몬 때문인데요. 이게 이름만 비슷하지 몸 안에 들어와서 성호르몬인 에스트로겐 (estrogen)으로 직접 활용되어 성적 발육을 촉진시키지는 않습니다. 그래서 딸기우유나 딸기를 많이 드셔도 가슴 위주로 커질 가능성은 낮습니다. 대신 우유에 단백질과 지방이 함유되어 있으니 많이 드시면 전반적으로 몸이 커지는 벌크업에는 도움이 될 수 있습니다. 비슷하게 파이토에스트로겐이 들어있는 음식으로는 완두콩, 두부, 두유, 참깨, 아마씨, 마늘, 크랜베리,

블랙베리, 라즈베리, 복숭아 등이 있습니다. 이러한 음식들에 함유된 식물성 호르몬이 출산, 유방암 등 인체에 미치는 영향에 대한 여러 연구가 있지만 명확하게 유의미한 결론이 도출되지 못했습니다. 또 남성들이 먹어도 남성 호르몬을 떨어뜨리거나 다른 호르몬적 영향이 없었습니다.

운동으로 가슴이 커질 수 없을까?

딸기우유와 더불어 많이 이야기되는 질문입니다. 온라인에도 '가슴이 커지는 운동' 등으로 많은 영상과 글이 여성들의 관심을 받고 있습니다. 결론적으로 운동을 통해 가슴이 일부 커질 수는 있으나, 현실적으로 원하는 만큼, 원하는 모양으로 커질 가능성은 매우 낮습니다. 저에게 오시는 대부분 분들은 현재의 A 컵에서 B, C, D 컵 등 드라마틱한 볼륨 변화를 희망하십니다. 가슴 운동은 보통 흉곽에 넓게 펼쳐져 있는 대흉근을 단련하는 것인데, 문제는 웬만큼 고중량 웨이트 트레이닝으로 가슴 근육을 단련시켜도 몇 컵이 커질 만큼 차이가 나기 힘듭니다.

제가 가슴 운동을 할 필요가 없거나 무의미하다고 말씀드리는 것은 절대 아닙니다. 저 또한 웨이트 트레이닝을 즐겨하고 중요하다 생각하며, 가슴은 등, 하체와 더불어 3 대 근육 부위이기도 합니다. 가슴 운동을 통해서 전반적인 상체의 윤곽을 좋게 하고 자세를 개선할 수 있습니다. 건강도, 상체의 탄력도 좋아지겠죠.

앞서 언급한대로 저는 감사하게 피트니스 대회 시상에 참여한 적이 있고, 대회에 출전하는 분들도 많이 찾아 주십니다. 그 분들께 제가 설명 드리는 것이, 대부분의 여성 분들은 벤치 프레스를 고중량을 치면서 대흉근을 열심히 키우더라도 볼륨이 커지는 데에 한계가 있으며, 그 모양이 각져서 꼭 미용적이지는 않다는 것입니다. 가슴수술을 큰 맘 먹고 오셨으니 이 수술만으로도 가슴은 충분히 풍만해지고 예뻐질 수 있습니다.

지방이식이나 필러만으로는 가슴이 커질 수 없을까?

지방이식이나 필러로 가슴을 키우는 것은 별로 권장 드리지 않습니다. 지방이식부터 보자면, 보형물로 키우는 만큼 볼륨을 채우려면 굉장히 많은 양의 좋은 지방이 필요합니다. 채취 부위에 대한 부담도 상당하겠죠. 무엇보다 지방이 온전히 생착하지 못하고 많이 흡수된다는 점이 단점입니다. 또한, 흡수되는 과정이 골고루 진행되지 않기 때문에 좌우가 다르게 지방이 빠질 수 있으며, 부분 부분 뭉치거나 석회화가 되면 딱딱한 부분이 형성될 수도 있습니다. 단, 지방이식은 가슴골이 잘 형성되지 않는 체형에서는 효과적으로 보조 수단으로 사용할 수 있습니다. 보형물로 볼륨을 확대하고 윗가슴이나 가슴골 부근에 지방이식을 하면 양도 많이 필요하지 않고 보다 자연스러운 모양과 촉감이 될 수 있습니다.

필러도 형태가 일정하지 않고 이동할 수 있는 제품이기 때문에 여러 문제를 야기할 수 있습니다. 밑선이 선명하고 대칭적으로 자리잡지 못하고 필러가 가슴 밑으로나 바깥으로 이동하면 매우 당황스럽겠죠. 국내에는 흔치 않지만 외국에서 불법 필러를 많은 양을 넣은 분을 보면 염증이 반복되면서 모양이 일그러지거나 딱딱한 분들이 많습니다. 또 지방처럼 흡수되기 때문에 볼륨의 비대칭이나 울퉁불퉁한 부분이 생길 수도 있습니다. 보형물을 사용한 가슴수술이 안전하고 결과도 가장 깔끔한 방법이라 할 수 있습니다.

보형물로 가슴수술 후 10년마다 교체해야 할까?

그렇지 않습니다. 요즘은 사용되지 않는 식염수 보형물의 경우 시간이 지나면서 물이 새어나오면서 볼륨이 줄어드는 현상이 나타나면서 주기적으로 교체를 해주어야 된다는 이야기가 많이 퍼졌습니다. 하지만 코히시브젤의 개발과 최근 기술력의 향상으로 현재 사용되는 보형물들은 파열과 같은 특이사항이 발생하지 않는 한 반영구적으로 유지된다고 보시면 되겠습니다.

실제로 사이즈를 키우거나 다른 브랜드의 보형물로 바꾸기 위해 재수술을 해드리는 경우 수술방에서 확인해보면, 기존 보형물들이 오래 되어도 깨끗하게 이상 없이 잘 유지되어 있는 것을 볼 수 있습니다. 단, 오래된 식염수 보형물의 경우에는 시간이 지날수록 크기가 줄고 변형이 될 수 있어 교체를 권장 드립니다.

몸에 있는 보형물에 문제가 없는지는 초음파 등의 검사를 통해 충분히 확인 가능하며, 정기 유방암 검진에서도 확인되기 때문에 추가적으로 자주 검사를 받으실 필요는 없습니다. 보통 40세 이상부터 2년 마다 유방 검진을 받도록 권장되며, 가족력 등 특이사항이 없으면 이 정도로 충분합니다.

가슴에 혹이 있을 경우 맘모톰과 같이 수술 가능할까?

성형외과와 유방외과 선생님들이 함께 있는 규모 있는 병원에서는 충분히 가능합니다. 이렇게 맘모톰과 가슴수술을 같이 시행하는 것에 대한 세계 최초의 논문을 제가 출판했었습니다.[3] 해당 논문에는 수술 전 초음파검사에서 제거해야되는 혹이 발견된 경우, 번거롭게 날짜를 나눌 필요 없이 같은 날 한 번의 수술로 맘모톰과 가슴수술을 시행한 분들에 대한 결과가 쓰여 있으며, 안전성이나 미용적 결과에서 따로 시행하는 경우와 차이가 없음을 입증하였습니다.

맘모톰과 가슴수술을 같이 시행하는 것에는 여러 이점이 있습니다. 하루에 시행되기 때문에 여러 차례 병원에 내원하실 필요가 없습니다. 마취도 한 번만 하면 되고 비용도 절감되죠. 절개 부위와 제거할 혹의 위치가 가까우면 추가적인 흉터 없이 가슴수술 절개선 내에서 모든 것이 해결될 수도 있습니다. 마지막으로 맘모톰으로 큰 혹을 제거하고 나면 해당 부위에 함몰이 발생할 수 있는데, 동시에 가슴수술로 볼륨을 채워드리면 모양 변형을 훨씬 예방할 수 있습니다.

이중평면 기법은 무엇일까?

요즘은 온라인에 굉장히 많은 정보가 공개되어 있기 때문에 수술 기법에 대해서도 알아보시고 종종 물어보십니다. 가슴수술은 조직을 박리해서 보형물을 넣는 수술이기 때문에 어떤 층에서 박리를 하는지가 중요합니다. 중요한 구조물로는 가슴의 지방, 유선 조직과 그 아래에 대흉근, 그 아래에 소흉근과 갈비뼈가 있습니다. 이 중 평면을 나누는 중요한 구조물은 대흉근입니다. 푸쉬업을 하거나 가슴에 힘을 주면 수축하는 근육이죠. 이 대흉근 위로 박리를 해서 대흉근과 가슴 유선조직 사이에 보형물을 넣으면 근육 위, 혹은 근막 하 평면이 되는 것입니다. 그리고 대흉근 아래에 완전히 보형물이 감싸게 되면 근육 하 평면이 됩니다. 이 두가지의 혼합형이 바로 이중평면 기법이고 요즘 가장 많이 쓰이는 박리의 층입니다. 이 방법은 보형물의 윗부분은 모두 근육 아래에 위치하게 되며, 아래쪽 일부는 가슴의 지방과 유선 조직에 덮이게 됩니다. 다음 장의 그림을 보시면 잘 이해가 되실 겁니다. 그림에서 빨간색 조직이 대흉근이며 보형물은 대부분 그 아래에 위치하게 됩니다. 단지 보형물의 아래쪽 일부만 노란색의 가슴 지방조직에 덮인 모습을 보실 수 있습니다.

이 이중평면 기법은 여러가지 장점이 있습니다. 가장 중요한 것은 미용적으로 보다 자연스러운 모양과 촉감을 이룬다는 것입니다. 조직이 여러 겹 보형물을 덮으면 보형물의 테두리나 형태가 잘 가려질 것이고 촉감도 더 원래 살에 가까울 것입니다. 두번째로 유선 조직이나 신경을 거의 건드리지 않기 때문에 모유수유와 감각을 보존할 수 있습니다. 세번째로 구형구축의 확률이 가장 적어서 안전한 방법입니다.[53-55] 저도 특수한 경우가 아니면 거의 이중평면으로 수술을 진행하고 있으며, 상담 때 체형에 알맞는 박리 방법을 설명 및 추천해 드립니다.

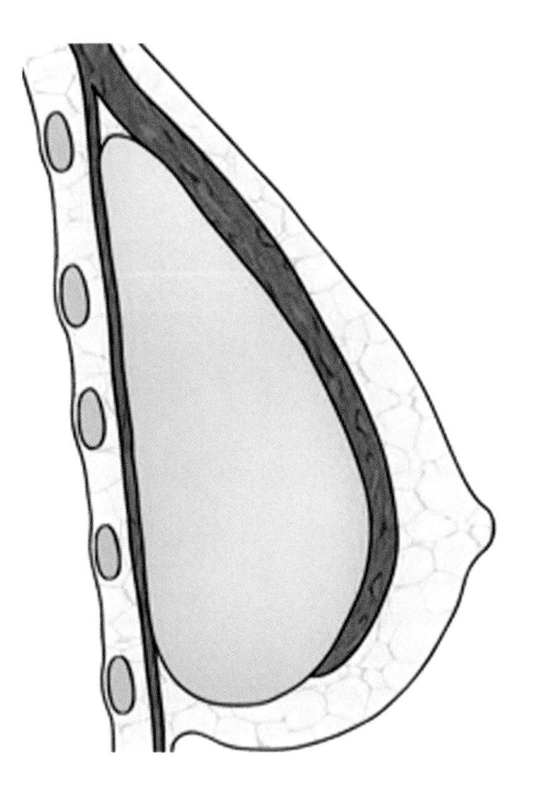

<이중평면 기법>[52]

가슴골은 언제 생길까?

가슴수술 후 많이들 궁금해하시는 것이 언제 가슴골이 잘 모일까 하는 것입니다. 그럼 우선 가슴골이 무엇인지 잠시 생각해볼까요? 가슴골은 가슴 중앙의 흉골을 중심으로 양쪽의 가슴과 그 사이 지방과 피부가 속옷이나 수영복을 착용했을 때 모이면서 일자로 세로 주름이 생기는 것입니다. 아무 속옷을 입지 않았을 때에는 손가락 한, 두개가 들어갈 틈이 있는 것이 정상입니다. 본인의 가슴살끼리 접히는 것이기 때문에 당연히 수술 전에 가슴 볼륨과 지방이 어느 정도 있는 분들이 훨씬 빠르게 생깁니다.

피부 탄력도 중요합니다. 피부 탄력이 아주 좋은 분들은 피부가 단단하기 때문에 늘어나서 모이려면 시간이 걸립니다. 반대로 피부 탄력이 떨어지는 편이고 얇은 분들은 보다 빠르게 부드러워지고 접

힐 수 있겠죠. 평균적으로 가슴수술 후 1-2주는 부기가 있을 수 있으며, 그 이후 1에서 3개월 이상의 시간이 지났을 때 자연스러운 가슴골이 형성됩니다.

기존 가슴 볼륨, 피부 탄력과 더불어 영향을 끼치는 것은 바로 체형, 정확히는 흉곽 뼈의 모양입니다. 파트 2에서 새가슴과 오목가슴에 대해 설명 드렸는데 바로 이 흉골과 갈비뼈로 이루어진 입체적은 흉곽의 형태가 가슴골에 영향을 줍니다. 새가슴은 중앙의 뼈가 돌출된 양상이기 때문에 가슴골이 형성되는데 보다 오래 걸리고, 반대로 오목가슴은 보다 빠르게 생깁니다.

앞에 언급한 부분들은 어느정도 타고난 신체적 특징이기 때문에 바꾸기가 힘듭니다. 하지만 한 가지 우리가 결정할 수 있는 것은 바로 상담 때 신중하게 정하는 보형물 사이즈입니다. 체형적 특성을 고려하고 그에 알맞은 보형물 브랜드와 사이즈를 선택한다면 누구나 충분히 예쁜 가슴골을 가질 수 있습니다.

촉감은 언제 부드러워질까?

앞의 가슴골 관련 답변과 마찬가지로 수술 후 촉감도 수술 전의 가슴 볼륨과 지방 양, 피부 탄력 등에 영향을 많이 받습니다. 수술 전 볼륨이 많이 있는 분들은 어떤 보형물을 넣더라도 초반부터 모양이나 촉감이 자연스럽겠죠. 피부 탄력이 탄탄하신 분들은 피부가 늘어나는 시간이 평균보다 오래 걸리기 때문에 가슴골이나 촉감이 부드러워지는 것이 더 시간이 필요합니다. 체중 변화도 중요합니다. 저는 수술 직후에는 다이어트를 하지 마시라고 설명을 드리는데, 큰 보형물이 가슴에 들어가게 되면 각각 자리를 잡고 주변 조직이 늘어나려면 영양분과 어느정도 피하지방이 필요합니다. 수술 직후에 급격히 다이어트를 한다면 가슴골이 생기거나 촉감이 부드러워지는데 보다 오래 걸릴 수 있습니다. 통상적으로 보면 보통 모양이 먼저 완성이 되고 그 다음에 촉감이 좋아지기 때문에, 최소 3에서 6개월 이상 피부는 부드러워지면서 점차 촉감도 좋아집니다. 6개월이 지나면 속도가 더뎌지긴 하지만 1년 이상까지도 가슴 피부와 근육은 점점 더 부드러워집니다.

일반 브라는 언제부터 입으면 될까?

일반 와이어 브라는 세 달이 지나면 입을 수 있습니다. 보통 수술 후 첫 한 달은 보정속옷을 입게 됩니다. 보정속옷은 대개 밑 밴드가 탄탄하고 가슴 중앙과 가쪽으로도 밴드가 있어 보형물이 이상적인 위치에 잘 유지되고 자리를 잡도록 도와줍니다. 윗밴드도 같이 착용하는 경우가 많은데, 특히 누웠을 때 보형물이 위로 올라가지 않도록 지지해줍니다.

한 달이 지나면 스포츠 브라 위주로 착용하시게 됩니다. 이때 스포츠 브라는 당연히 와이어가 없고, 밑선 밴드가 탄탄한 것으로 고르셔서 밑선 수평을 잘 맞춰주시는 것이 좋습니다. 윗밴드도 그만하셔도 됩니다. 종종 스포츠 브라보다 보정속옷을 선호하시는 분들도 계신데 한 달이 지나도 보정속옷을 입으셔도 자리를 잘 잡아주고 좋습니다.

수술 후 3개월이 지나면 대개 제한 없이 아무 브라를 착용하셔도 됩니다. 와이어가 있거나 푸쉬업 브라도 가능합니다. 앞에서 격한 운동도 3개월 정도부터 하시는 것이 좋다고 말씀드렸는데 와이어 브라도 마찬가지이고, 이 정도 시점이 지나면 안정적으로 자리를 잡는다고 보기 때문입니다. 물론 자리를 잡은 다음에도 주변 조직과 피부는 더 부드러워지기 때문에 모양과 촉감은 갈수록 더 좋아집니다. 참고로 이제 가슴이 커졌기 때문에 당분간 주무실 때도 노브라는 안하시는 것이 좋습니다.

유두 비대칭은 어떻게 될까?

사람이 얼굴이 좌우가 똑같은 사람이 없듯이, 가슴도 좌우 모양이 다르고 유두 위치도 조금씩 다릅니다. 선천적인 유두의 비대칭은 가슴확대수술 이후에도 비슷하게 남습니다. 보형물의 사이즈와 박리하는 수술기법을 양쪽을 다르게 하여 수술 전 유두 비대칭을 약간 개선할 수는 있지만 완벽하게 맞추기는 쉽지 않습니다.

대신 차이가 심해서 스트레스가 심한 경우 교정할 수 있는 방법이 있는데, 앞 파트에서도 언급된 유륜 절개를 통한 거상수술입니다. 상대적으로 아래에 있는 유두, 유륜 주변의 피부를 절제하여 끌어올려서 높이를 맞출 수 있습니다. 대신 이 방법은 유륜 쪽으로 흉터가 남기 때문에 처짐이 심한 경우가 아니라면 처음부터 권장하고 싶진 않습니다. 유두는 평소에 보여지는 부위가 아니기 때문이죠. 가슴의 윗볼륨이 채워지고 가슴골이 예쁘게 생기게 되면, 유두가 일부 차이가 나더라도 예쁘고 만족스러운 체형을 충분히 누릴 수 있습니다.

홍삼은 언제부터 먹을 수 있을까?

요즘 건강에 대한 관심이 늘어나면서 영양제나 홍삼과 같은 식품의 수요도 많습니다. 하지만 가슴수술 이후에는 약 한 달 정도는 복용하지 않는 편이 좋습니다. 홍삼은 혈관 확장 효과가 있고 혈류를 개선시키게 되는데, 수술 후 초반에는 부기가 오래가거나 작은 출혈이 잘 멈추지 않을 수 있습니다. 다른 한약도 비슷한 경우가 많기 때문에 한 달 이상은 피하시거나 한의사 선생님과 상의하시는 것이 좋습니다.

비슷하게 오메가3, 크릴오일, 달맞이종자유나 일부 비타민도 지혈을 저해하는 경우가 있기 때문에 수술 전, 후로 드시지 않는 것이 좋습니다. 아스피린, 호르몬제, 피임약 등 흔하게 복용할 수 있는 약도 영향이 있을 수 있기 때문에 수술 전 의료진과 상의가 필요합니다.

한 달 정도 지나면 보형물도 어느 정도 자리를 잡고 주변 혈관도 열릴 가능성이 떨어지기 때문에 홍삼 등의 보조제를 시작하셔도 좋습니다. 술, 담배도 마찬가지로 수술 후 한 달은 지나고 서서히 시작하는 것이 좋습니다. 한 달이 지나면 어느정도 안정기에 들어가지만 그래도 3개월까지는 무리한 가슴, 어깨 운동은 피하셔야 합니다.

유방암 수술 후에도 가슴성형이 가능할까?

이 책 초반에 말씀드린 대로 유방암은 전세계에서 가장 많이 진단되는 암입니다.[15] 당연히 유방암 수술을 받으신 분들이 많이 있으며, 작거나 큰 유방 조직이 제거가 되면 해당 가슴 볼륨이 반대쪽에 비해 작아질 수 있습니다. 방사선치료가 추가되는 경우 피부와 주변 조직이 더욱 수축하고 단단해질 수 있습니다.

상당히 스트레스와 상실감을 동반하게 되는데 이런 경우에 보형물을 이용한 가슴재건수술로 충분히 만족감과 자신감을 찾아드릴 수 있습니다. 수술 시기는 모든 치료가 끝나고 6개월 이상 지나고 진행하는 것이 바람직하며, 피부 상태에 따라 더 앞당겨지거나 미뤄질 수 있습니다. 방사선 치료 등으로 피부와 조직이 매우 단단한 경우에는 일차적으로 지방이식을 먼저 시도하여 어느정도 피부 여유와 공간을 확보한 다음 보형물 이용한 재건을 하는 경우도 있습니다.

대학병원에서는 유방암 수술 후 같은 날 복부나 등의 조직을 이용한 동시재건수술을 시행하기도 합니다. 저 또한 대학병원에 있을 때 많이 참여하였으며 좋은 수술 방법들입니다. 단지 그 당시 재건까지 신경 쓸 겨를이 없거나, 유방암 수술 후 많은 항암 및 방사선 치료가 예정되어 있는 경우 재건이 미뤄질 수 있으며, 그런 경우에도 이후에 충분히 대칭이 맞게 예쁜 가슴을 형성해 드릴 수 있습니다.

기타 Q&A

제일 큰 사이즈는 몇 cc인가요?

제조회사마다 다르지만, 국내에서 유통되고 있는 가장 큰 사이즈는 650에서 700 cc 정도까지로 보시면 됩니다. 그 이상은 재고를 확인하고 주문 후에 가능합니다.

가슴 보형물크기는 몸 크기에 따라 달라지나요?

환자분의 키, 몸무게, 흉곽 사이즈, 가슴방의 크기, 피부 살성 등을 고려하여 넣을 수 있는 보형물의 크기가 달라지게 되는데, 가능한 사이즈 중 본인이 원하는 이미지에 가장 잘 부합하는 사이즈를 고르게 됩니다.

당일 수술도 가능한가요?

8시간 금식이 되어 있어야 하고, 환자분 술 전 검사 시 특별한 이상이 없으면 당일 수술이 가능합니다.

재수술의 경우 피막 제거도 되는 건가요?

구형구축의 정도나 피막 상태에 따라 필요한 경우 피막 제거도 함께 진행됩니다. 하지만 보형물 뒷면과 맞닿아있는 갈비뼈 쪽 피막은 무리해서 제거하다가 기흉 등 합병증이 생길 위험이 있기 때문에 안전한 범위 내에서 제거하게 됩니다.

보형물마다 AS 기간이 있나요?

요즘 쓰는 보형물은 보형물 파열, 구형구축 3-4단계와 같은 문제 발생 시 무상으로 새 보형물이 제공됩니다. 보형물 회사에 따라 평생 보장이 되는 경우도 있고 10년 정도 되는 경우도 있습니다. 구형구축과 같은 합병증은 발생 확률도 굉장히 낮고 발생하더라도 대체로 3개월에서 1년 미만으로 대부분 발생하기 때문에 AS 기간에 대해서는 걱정하지 않으셔도 됩니다.

가슴수술 후 모유수유 이런 부분에 영향이 가진 않나요?

기본적으로 보형물은 대흉근 아래 또는 근막 아래에 위치하기 때문에 유선조직과는 맞닿지 않고 모유 수유에 영향을 끼치지 않습니다.

예전에 가슴에 필러를 맞았는데 수술 당일 날 제거하고 수술이 바로 가능한가요?

필러 종류에 따라 다릅니다. 흔히 쓰이는 HA 필러는 주사로 완전히 녹일 수 있습니다. HA 필러가 아닌 경우엔 가슴수술을 진행하면서 필러를 제거하게 됩니다. 수술 과정에서 만져지거나 보이는 필러는 최대한 제거하지만, 조직 사이사이에 들어간 필러를 완벽하게 제거하기 어려울 수 있습니다.

배꼽 절개는 요즘 안 하나요?

배꼽 절개는 다른 절개 방법에 비해 밑빠짐이 심하고 비대칭이 많다는 단점이 있고, 무엇보다도 배꼽 절개는 식염수 보형물을 써야 하는데 요즘 거의 쓰지 않기 때문에 하지 않습니다. 지금은 코히시브젤, 즉 코젤이라 하는 실리콘 젤이 들어간 보형물을 사용합니다.

뾰족한 가슴 모양도 개선이 될까요?

가슴이 뾰족한 이유는 가슴의 폭과 높이가 짧아 가슴이 곡선 형태를 갖추지 못했기 때문입니다. 가슴방을 충분히 확보하고 가슴의 아래쪽 곡선을 충분히 확장시켜 주면 예쁜 곡선의 가슴을 만들 수 있습니다.

C컵정도 되고 처졌는데 거상은 안하고 보형물만으로 개선이 될까요?

그건 가슴의 처진 정도에 따라 달라지게 됩니다. 유두와 밑선 간의 위치 관계를 고려하여, 처짐이 별로 없는 유방하수 1-2단계는 보형물만 삽입해도 어느 정도 처짐이 개선되지만, 3-4단계로 심한 유방하수인 경우 유륜 절개, 수직 절개, '오'자 절개를 이용한 거상 수술이 필요할 수 있습니다.

가슴이 원래 벌어진 가슴인데, 보형물 수술을 하면 가슴골이 생기나요?

가슴골은 속옷을 안 입은 상태에선 손가락 한 두 개 정도 들어가는 상태가 이상적이며, 속옷을 입었을 때 가슴이 모아지면서 가슴골이 생기게 됩니다. 벌어진 가슴은 사이즈가 크거나 폭이 넓은 보형물을 사용하고 가슴골 안쪽 박리를 충분히 하여 가슴골이 생기도록 하지만, 아주 심하게 벌어진 경우 가슴골 지방이식 등 다른 도움이 필요한 경우도 있습니다.

수술 후 가슴이 꿀렁거리는데 왜 그런가요?

수술하는 동안 피부 안쪽에 공기가 남아있어 꿀렁꿀렁, 뽀글뽀글 하는 소리가 날 수 있는데, 점차 흡수되어 1-2주 안에 사라지므로 걱정 안 하셔도 됩니다.

심한 절벽인데 수술이 가능할까요?

네, 수술 전 가슴 조직이 거의 없는 경우에도 적절한 박리와 체형에 알맞은 보형물 선택으로 예쁜 가슴을 만들 수 있습니다.

유두축소만 할 수 있을까요? 절개는 어떻게 하나요?

유두축소 수술만 하는 것도 가능합니다. 유두의 직경과 높이를 줄이는 방향으로 유두 위에 절개를 가하게 되는데 흉터는 거의 안 남습니다.

수술 후 피주머니 차나요?

사용하지 않습니다. 정말 필요하다고 생각되는 경우에는 안전을 위해 일시적으로 사용할 수도 있지만 그럴 확률은 없다고 보셔도 무방합니다.

수술 후 구형구축약 복용 중인데 피임약, 감기약도 같이 복용해도 되나요?

네, 가능합니다.

흉터 레이저 하면서 제모 레이저 받아도 되나요?

네 가능합니다만, 제모레이저는 흉터가 안정화 되고 나서 수술 후 2-3달 정도 후에 받으시길 권합니다.

가슴수술 후 감각이 떨어졌는데 괜찮은가요?

가슴수술을 하면서 신경이 손상되지는 않지만 큰 보형물이 들어가면서 피부와 신경이 늘어나게 됩니다. 따라서 수술 후 가슴 쪽에 남의 살을 만지는 것 같이 감각이 떨어졌다가 수술 1개월 이후부터 점차 회복됩니다. 1-3개월 동안 회복되는 분들이 대부분으로 가장 많고, 1-2년 이상 걸리는 분들도 드물지만 종종 있습니다. 1% 미만에서는 감각이 수술 전보다 둔해질 수 있습니다.

수술한 지 일주일 정도 되었는데 배가 당기고 가슴도 당기는데 괜찮은 걸까요?

보형물이 들어가 볼륨이 커지면서 가슴 피부가 당기는 느낌이 들 수 있습니다. 또한 가슴 부기가 배쪽으로 내려와 배도 당기는 느낌이 들 수 있습니다. 시간이 지나 부기가 빠지고 피부가 부드러워지면서 점점 편안하게 됩니다.

파트 정리

이번 파트에서는 많이들 궁금해하시는 질문들을 모아서 Q&A 형식으로 답변해보았습니다. 민간요법으로 이야기되는 딸기우유가 가슴이 커지는데 큰 도움이 안되는 것부터 지방이식이나 필러의 한계도 살펴보았습니다. 요즘 보형물은 주기적으로 교체가 필요 없으며, 만약 가슴에 혹이 있는 경우 동시에 맘모톰 시술도 가능합니다. 가슴골이나 촉감은 초반의 부기가 빠지고 피부와 근육이 부드러워지면서 갈수록 좋아집니다. 일반 와이어 브라는 3개월은 지나고 착용하는 것이 좋고, 그 전에는 보정 속옷과 스포츠 브라 위주로 입게 됩니다.

Part 5

실제 사례들을 소개합니다

자신감을 되찾고 사진을 많이 찍게 된 K직장인

27살 K씨는 대학교 졸업 후 열심히 아르바이트를 병행하며 취업 준비를 하였고, 여러 차례의 낙마 끝 최근에 드디어 원하는 직장에 입사하여 다니고 있습니다. 원래도 다소 내성적인 성격의 그녀는 조용조용하게 열심히 맡은 일을 진행하였기 때문에 회사에서도 성실한 좋은 이미지를 갖고 있었습니다. 하지만 그녀도 부모님에게도 말씀드리지 못한 고민이 있었습니다. 평소에 식탐이 별로 없는 그녀는 항상 왜소한 체형을 갖고 있었고, 패드가 들어간 브라를 착용하여도 볼륨이 잘 채워지지 않고 오히려 이렇게까지 해도 부족하다고 자괴감을 느끼고 있었습니다. 최근 들어 괜히 주변 여성 동료들에게 스스로를 비교하면서 자존감이 낮아지고 있었습니다. 이러한 상황이 일상 생활에서도 영향을 끼치게 되었고, 이로 인해 업무에 집중하지 못하고 불안해졌습니다.

그러던 중, 그녀는 퇴근 후 집 침대에 누워서 핸드폰으로 SNS를 하다가 어떤 분의 가슴수술에 대한 후기를 보게 되었습니다. 한 번도 수술을 받아본 적도 없고 성형에 대해서도 생각해보지 않았던 K양은 자신도 모르게 그 후기를 열심히 읽었고, 다른 후기와 사진들도 찾아보게 되었습니다. 그녀가 찾아보며 느낀 점은 사람마다 체형이 엄청나게 다르고, 본인보다도 마르고 볼륨이 없는 사람들도 굉장히 많다는 것, 그리고 그 다양한 사람들이 수술 후 감탄할 정도의 몸매의 변화가 있었다는 것입니다. SNS 뿐만 아니라 온라인 영상들도 찾아보고 지식을 갖게 되면서, 희망을 조금씩 갖게 되었습니다.

매일 회사에 출근해야 하고 퇴근하면 늦고 힘든데 언제 할 수나 있을까 생각하다가, 우리나라 성형외과 병원들은 토요일에도 대부분 오후까지 진료를 보는 것을 알게 되었습니다. 충분한 검색을 한 후 '안 하더라도 상담이나 받아볼까?'라는 가벼운 마음으로 한가한 토요일에 신뢰가 가는 병원에 상담 예약을 하였습니다. 처음 가보는 성형외과에 조금 수줍은 느낌이었지만, 가보니 사람들도 많고 실장님들도 친절하게 안내해주어 마음이 놓였습니다. 담당 실장님과 간단한 이야기를 나눈 후 원장님 상담을 하게 되었고, 적극적으로 말을 잘 못 하는 그녀에게 마치 가려운 곳을 긁어주듯이 여러가지 설명과 사진을 보여주었습니다. 그리고 '사이저'라고 하는 임시 보형물을 시착해보고 거울을 보게 되었고, '이게 내 몸이 맞아?'라는 생각이 들 정도로 전혀 다른 굴곡과 옷 태가 형성되어 있었습니다. 원장님과 충분한 상담 후 담당 실장님과 다시 마무리 상담을 하였고, 집으로 귀가하였습니다. 상담을 받아보니 궁금증도 많이 해소되고 직접 변하게 될 스스로의 모습도 보게 되니 수술을 해야겠다는 확신을 갖게 되었습니다. 회사 때문에 회복 기간도 많이 걱정하였는데, 이틀 정도 쉬면 충분히 출근이 가능하다는 설명을 듣고, 금요일 저녁에 수술 예약을 하였습니다. 주말 동안 쉬고 연차 없이 월요일부터 출근하면 되겠다고 생각하였습니다.

수술 당일에 많이 떨렸지만 잠깐 자고 일어나니 이미 수술은 다 끝나고 회복실과 병실에서 쉬고 있는 자신을 발견하였습니다. 수술도 아무 이상 없이 잘 끝났다고 들을 수 있었고 마음이 놓였습니다. 안도감과 함께 이제 예뻐질 체형에 기대감이 부풀어 올랐습니다. 입원할 필요는 없을지 수술 전 걱정하였으나 막상 끝나보니 괜찮겠다 싶어서 당일 퇴원하여 집으로 돌아왔습니다. 주말 동안 가슴 쪽에 약간 뻐근함이 있었지만 심하지 않았고, 그 다음주 월요일에 잘 출근할 수 있었습니다. 보정속옷을 착용하는 느낌이 조금 어색했지만, 수술 후 즉각적으로 달라진 옷 태에 스스로도 감탄하고 믿을 수가 없었습니다.

수술 후 변화는 놀라웠습니다. 윗가슴이 자연스럽게 채워지고 어떤 옷을 입어도 느낌이 잘 살고 예뻤습니다. 쇼핑을 해도 훨씬 즐거웠습니다. 다른 부분도 점점 바뀐 것을 느꼈는데 바로 삶의 태도였습니다. 이전과는 다르게 스스로 자신감이 넘치는 사람으로 느껴졌고, 업무에 집중할 수 있었습니다. 또한, 직장 동료나 친구들과 함께 있을 때도 이전보다 더 적극적으로 대화할 수 있었습니다. 1시간도 안 걸리는 수술로 이렇게 인생이 바뀔 수 있구나 느꼈고, 이러한 경험을 통해 그녀는 자신의 몸이 정신에도 매우 중요하다는 것을 깨달았습니다. 이전에는 자신의 신체에 대한 부족함으로 인해 소심한 모습을 보였지만, 이제는 자신감 넘치는 모습으로 일상 생활을 보내게 되었습니다. 외부 활동도 적극적으로 하게 되고, 새로운 곳에 가서 사진도 많이 찍게 되었습니다. 몇 달 회복 후 처음으로 헬스장도 등록을 하여 몸 관리를 시작하여 더 탄탄한 체형으로 건강한 삶을 이어가게 되었습니다.

젊었을 때의 예쁜 가슴을 되찾은 어머님

40대 L씨는 어렸을 때 예쁜 외모와 몸매로 늘 인기가 많았습니다. 이후 행복한 연애와 결혼을 하고 두 아이의 어머니로 지내고 있죠. 화목한 가정생활을 하고 있지만 가족에게도 쉽게 말 못할 고민이 있었으니 바로 가슴에 대한 것이었습니다. 한때 가슴이 아름답고 풍성했던 L씨가 출산을 반복하며 가슴이 처지고 윗가슴이 점점 꺼지는 것을 보면서 많은 스트레스를 받았습니다. 원래 가슴 볼륨이 큰 편이었기 때문에 늘 자신감이 있었는데, 오히려 그 무게감 때문인지 출산, 수유 후 갈수록 조금씩 더 처지는 느낌이었습니다. 하지만 바쁜 육아와 산림으로 무언가 해 볼 여유는 없었습니다. 가슴이 점점 작아지고 모양이 바뀌는 것을 신경 쓰면서도 아이들을 키우고 가정을 이끌어가는 데에도 너무 바빴죠.

하지만 그녀는 결코 포기하지는 않았습니다. 어릴 적부터 자신의 외모와 몸매를 아끼며 관리하는 습관을 가지고 있었죠. 아이들이 조금 크고 삶에 약간씩이라도 여유가 생기면서, 운동과 건강한 식습관을 유지하면서 가슴의 상태를 개선하기 위해 노력했습니다. 하지만 여러 노력에도 불구하고, 가슴의 처짐과 모양이 바뀌는 것을 멈출 수는 없었습니다.

그러던 어느 날, 오랜만에 친한 친구들의 모임이 있었습니다. 거기서 우연히 건강에 대한 이야기가 나오고, 피부 탄력과 가슴의 처짐에 대한 이야기가 나왔어요. L씨도 자기의 가슴 스트레스에 대해 이야기 하였죠. 그런데 웬걸! 친구들 중에 세 명은 이미 가슴수술을 받은 것이었어요. 몰랐던 사실에 처음에는 당황했지만, 점차 호기심으로 변하면서 과정이나 만족에 대해 여러가지 물어보게 되었어요. 친구 중에는 결혼 전에 가슴확대수술을 받은 분도 있었고, 출산 후에 볼륨이 줄고 처져서 수술을 한 친구도 있었어요. 얼굴의 거상, 리프팅 수술은 들어봤었는데 가슴거상은 처음 듣게 되었고, 윗가슴도 채워지고 아래로 향하던 가슴이 원래 위치로 올라가서 너무 만족스럽다는 친구 이야기를 들었어요.

그날 집으로 돌아와서 바로 검색도 해보았고, 친구가 했다는 병원에 가서 상담이라도 받겠다고 생각했어요. 상담 날 병원에 가보니 가슴수술은 어린 친구들만 하는게 아닐까 생각했었는데 오히려 30-40대 분들이 더 많이 보였고, 마음이 놓였습니다. 담당 원장님과 자세한 상담을 통해 고민에 대해서도 맘 편히 이야기 하였고, 현재 가슴 처짐의 단계에 대해서도 알게 되었어요. 현재 L씨는 처짐이 있기 때문에 거상수술이 같이 필요하며, 예전의 볼륨감도 되찾고 더 채우기 위해 보형물도 같이 넣는 것이 좋겠다고 상담하였습니다. 그리고 현재 피부가 여유가 있기 때문에 오히려 회복이 빠르고 통증이 적다는 이야기를 듣고 가슴수술을 하기로 결심했습니다. 회복 기간이 오래 걸릴까 봐 걱정하였는데, 수술 다음날이면 거의 모든 집안일이나 일상생활을 다 할 수 있다는 것이었죠. 수술 전에 걱정과 불안감이 있었지만, 자신의 몸을 믿었고 그간 고생해 온 스스로를 위해 예쁜 체형을 다시 선물하겠다고 생각했습니다.

수술 후, L씨는 큰 변화를 느꼈습니다. 가슴이 예쁘고 풍성해졌고, 젊었을 때보다도 예뻐진 체형에 옷 입을 때 자신감이 생기고 스트레스도 없어졌습니다. 이후에도 체중은 조금씩 늘거나 줄어들면서 바뀌었지만, 더 이상 가슴이 작아지고 모양이 바뀌는 것에 대해서 걱정하지 않아도 되었습니다. 수술 후에도 건강과 외모를 유지하기 위해 계속해서 운동과 건강한 식습관을 유지하며, 자신을 아끼고 사랑하는 마음을 가지고 가족들과 행복하게 살고 있습니다.

구독자, 팔로워가 늘고 개인사업으로 확장하게 된 방송인

부업으로 유튜버 (Youtuber)를 하고 있는 H씨는 자신의 이름이 들어간 유튜브 채널을 2년 이상 운영하고 있고, 뷰티 및 패션, 그리고 일상 브이로그 (vlog)를 주로 촬영하였습니다. 어려서부터 꾸미는 것을 좋아해서 정보 공유도 하고 자기만족을 위해 시작한 방송이 좋은 콘텐츠와 재치 있는 입담으로 소소하지만 단골 구독자도 늘고 있었습니다. 인스타그램 (Instagram)도 계정은 있었는데 주로 지인들과의 소통하는 정도였고 팔로워가 많지는 않았습니다. 자기관리를 열심히 하는 H씨는 운동도 꾸준히 하여 탄탄한 체형을 갖고 있었고 꾸미면서 예뻐지는 자기 얼굴도 만족하였습니다. 단지 한 가지 스트레스의 원인이었던 것이 바로 가슴이었습니다. 원래 슬림한 체형이다 보니 볼륨이 작은 편이었고, 요가복 등 운동복을 입을 때에도 패드가 두꺼운 것으로 입었습니다. 운동할 때 부자연스럽게 올라가지 않나 늘 신경 썼죠.

긴 고민 끝 그녀는 가슴수술을 받기로 결심했습니다. 그리고 기왕 하기로 한 것, 자신의 채널에서 이러한 경험을 공유하기로 했습니다. 처음에는 이러한 주제를 다루는 영상을 게시하는 것에 대해 많은 걱정과 고민을 했습니다. 그러나 삶을 솔직하게 공유하는 것이 많은 사람들에게 도움이 될 수 있다고 생각했습니다. 그래서 H씨는 자신의 수술 과정을 시작부터 끝까지 세부적으로 기록하기 시작했습니다.

수술은 성공적으로 잘 끝났고 회복도 빨랐습니다. 직장을 다니면서 퇴근 후에나 주말에 기록들을 잘 정리하고 영상 편집도 열심히 하였습니다. 시간적 연대기로 나누어 결심을 한 과정부터 상담, 수술날, 수술 후 회복 등 세밀하게 주제를 분류하였습니다. 알게 된 지식도 오픈하고 진솔한 커뮤니케이션을 통해 자신의 경험을 전달했습니다. 수술 전의 불안, 상담 절차, 그리고 회복 과정에서 겪은 어려움과 긍정적인 변화를 솔직하게 이야기 했습니다. 또한 수술에 대한 잘못된 인식과 사회적인 압력에 대한 개인적인 생각도 나누었습니다.

이러한 솔직한 컨텐츠가 소소했던 H씨 유튜브 채널에서 큰 반향을 일으켰습니다. 많은 사람들이 그녀의 용기와 솔직함에 많은 도움을 받았습니다. 회복 후 운동 장면이나 새로운 옷들의 핏도 선보이면서 재치 있는 입담을 풀어냈습니다. 그 결과로 구독자 수는 급증했고, 많은 사람들이 링크 된 인스타그램 주소에도 찾아갔습니다. 그녀는 이러한 인기에 힘입어 더 많은 사람들에게 도움을 주기 위해 다양한 주제를 다루는 컨텐츠를 제작하기 시작했습니다. 그녀는 자기애와 자신을 사랑하는 방법, 자기계발, 신체 이미지에 대한 긍정적인 태도 등을 주제로 다루며, 화장품이나 패션에 대해서도 재미있으면서 유익한 콘텐츠를 만들었습니다. 어느새 건강, 뷰티 인플루언서가 된 그녀는 다이어트 식품의 마케팅에도 협업하게 되면서 보람차고 만족스러운 부 캐릭터의 커리어를 이어가고 있습니다.

회원이 갈수록 늘어나는 헬스 트레이너와 필라테스 강사

헬스 트레이너 B씨와 필라테스 강사 O씨는 고등학교 때부터 친한 친구입니다. 둘 다 어려서부터 체육 쪽으로 흥미와 특기가 있었고, 적성을 살려 각각 현재 직업을 갖게 되었습니다. 약간 다른 분야이지만 공통점도 많고 자주 만나며 소통을 하였습니다. B씨는 웨이트 트레이닝의, O씨는 필라테스의 장점을 잘 이해하고 있었고, 자신의 몸과 건강을 개선하는 데 그 효과를 깊이 믿고 있었습니다. 그러나 열심히 노력하고 건강 해져도 개선되지 않는 부분이 있었으니 바로 가슴 볼륨이었습니다. 요즘은 워낙 회원 분들도 수술하신 분들이 많다 보니, 상대적으로 볼륨이 작고 붙은 운동복을 입어도 핏이 잘 살지 않는 것 같아 자신감을 잃고 있었습니다. 우연히 같이 식사를 하다가 해당 이야기가 나왔고, 둘은 같은 스트레스를 받고 있는 것을 알게 되었습니다. 고민 끝에 같이 가슴수술을 결심하였고, 이를 통해 외모와 자신감을 개선하고자 했습니다. 함께 상담을 다니고 같은 날 수술 스케줄도 잡게 되어, 서로 큰 지지가 되었습니다. 또한 상담 때 원장님이 무거운 것을 드는 것은 한 달 정도 조심해야 하지만 출근과 운동 지도는 거의 바로 가능하다 하여 부담도 적었습니다.

수술 후 B씨와 O씨는 각자의 직장에서 자신감을 발휘하기 시작했습니다. 워낙 성격이 털털한 두 분이어서 회원들과 자신의 수술 과정, 회복 기간, 그리고 이후 피트니스와 필라테스를 통해 어떻게 몸매를 유지하고 건강을 개선할 수 있는지에 대해 솔직하게 이야기 했습니다. 운동복의 핏이 훨씬 예뻐지면서 자신감이 붙었고, 말투도 보다 힘차고 긍정적으로 바뀌었습니다. 센터에는 당연히 가슴수술을 받지 않은 회원도 있고 받은 회원도 있었는데, 각자에 맞는 조언과 경험을 이야기 해주며 많은 신뢰를 얻었습니다. 그녀들은 회원들에게 올바른 자세와 균형 잡힌 운동 방법을 가르쳐주며, 체형에 맞게 몸매 개선과 근력 강화를 이루는 방법을 안내했습니다. 회원들 입장에서도 수술에 관심이 있던 분들은 생생한 경험을 직접 들을 수 있으니 좋은 경험이었죠. 또한 O씨는 필라테스의 명상적인 측면을 강조하며, 자신을 사랑하고 몸과 마음을 조화롭게 유지하는 중요성을 전달했습니다.

두 강사들의 전문적인 지식과 친근한 커뮤니케이션 스타일은 많은 사람들에게 호응을 얻었습니다. 그녀들의 PT나 수업은 몸의 균형과 유연성을 개선하며, 회원들은 조언을 따라 운동을 통해 자신의 몸을 변화시키고 건강을 유지하는 방법을 배웠습니다. 입소문과 소개로 찾는 회원수가 크게 늘었으며, 둘은 유튜브 등을 목표로 함께 출연하여 온라인 콘텐츠도 기획하게 되었습니다. 이러한 성장을 통해 더 많은 사람들에게 선한 영향을 주기 위해 지금도 노력하고 있습니다. 자신들의 센터에서 수업을 진행하며, 온라인 콘텐츠를 통해 운동의 이점과 건강한 라이프스타일에 대해 공유하고 있습니다.

섭외가 훨씬 많아진 새가슴 모델

10대에 어려서부터 모델 일을 한 S씨는 성인이 되어서도 커리어를 꾸준히 쌓고 있는 프로 모델입니다. 예쁜 얼굴과 큰 키로 모델로서의 잠재력을 가지고 있었던 그녀는 어느 순간 고민에 빠졌습니다. 바로 자신의 흉곽 모양 때문이었는데요, 중앙에 흉골이 앞으로 돌출이 되어 있는 새가슴의 체형이었습니다. 직업 특성 상 늘 적은 체지방을 유지하고 있어서 더 도드라져 보였고, 목과 흉골 부분이 열려있는 옷을 피팅 (fitting) 할 때는 자신감이 떨어지고 스트레스를 받았습니다. 그렇다고 직업 상 갑자기 체중을 늘리는 것도 할 수 없었고 과식은 건강에도 좋지 않을 것 같았죠. 그녀는 모델 활동을 하면서 자신의 가슴이 자신을 제한한다고 느끼게 되었고, 혹시나 하는 마음에 성형외과 진료를 보게 되었습니다. 혼자 끙끙 고민을 했던 그녀는 상담을 하면서 이러한 새가슴으로 고민을 하는 분들이 굉장히 많다는 것을 알게 되었고, 가슴수술을 통해 체형이 크게 개선될 수 있음을 알게 되었습니다. 상담 시 형태를 잡아주는 임시보형물을 시착해 보았는데, 단단한 뼈의 형태를 바꿀 수는 없지만 양쪽의 가슴 피부가 늘어나면서 돌출된 흉골이 훨씬 가려지고 체형적으로 보완이 되는 것을 체험할 수 있었습니다. 사이즈에 대해서도 고민이 많았는데, 자신처럼 마른 모델들에 대한 원장님의 경험도 들을 수 있었고, 흉곽에 알맞는 사이즈도 추천 받아 잘 결정하였습니다.

수술 후, S씨는 완전히 변화된 자신의 가슴 모습을 보게 되었습니다. 새롭게 형성된 가슴은 자연스럽고 아름답게 재탄생하였고, 중앙의 새가슴 형태가 많이 가려지고 보완되었습니다. 초반에는 뼈 모양 때문인지 가슴골이 약간 멀게 느껴졌으나, 몇 달이 지나면서 피부가 많이 부드러워지고 점점 쉽게 예쁜 일자로 된 가슴골이 형성되었습니다. 평소 가깝게 지내는 지인 모델들도 극적인 변화에 놀라움을 금치 못했습니다. S씨는 많은 스트레스에서 해방될 수 있었고, 동시에 자신의 체형을 자랑스럽게 여길 수 있게 되었습니다. 이러한 긍정적인 마인드 변화는 지인들 간의 인간관계나 촬영 중에서도 좋게 작용하였고, 섭외가 증가하게 되었습니다. 이제 그녀는 런웨이를 걸을 때 자신의 몸에 대한 자신감을 뿜어낼 수 있었고, 사진 촬영이나 화보에서는 자신의 아름다움을 자연스럽게 발산할 수 있었습니다.

그녀는 가슴수술을 통해 일부 도움을 받았지만, 그 이상으로 스스로에 대한 자신감과 자신을 받아들일 수 있는 힘을 갖게 되었습니다. 모델 업계 특성상 비슷하게 마른 체형의 비슷한 고민을 하는 지인들도 많았는데, 솔직한 경험담을 들려주며 각자에 맞는 조언을 해주었습니다. 그녀는 이제 외모에 대한 비교와 부정적인 생각에 시달리지 않고, 자신의 고유한 아름다움을 존중하며 모델로서의 경력을 쌓아가고 있습니다.

거유증으로 어깨가 너무 무거웠던 고등학생

요즘 많은 분들이 가슴확대수술을 위해 성형외과를 찾으시지만 그 반대의 이유로 찾는 경우도 있습니다. 고등학생 M씨가 바로 그러한 경우였는데요. 유전적으로 그녀의 가족들은 대체로 가슴의 볼륨이 큰 편입니다. 그 중 유독 M씨가 10대에 들면서 점점 볼륨이 부각 되게 바뀌었습니다. 감수성이 섬세한 사춘기 시절이라 남도 의식하고 스트레스도 많이 받았으며, 그로 인해 폭식을 자주 하게 되면서 전반적으로 체중이 늘어나고 가슴은 더욱 커지고 처졌습니다. 스트레스로 인해 악순환이 된 것이죠.

한창 학업이나 친구 관계에 활발해야 할 나이지만 매일 아침 거울을 보면서 가슴의 크기 때문에 자신을 비판하며 하루 종일 힘들게 지내곤 했습니다. 스포츠 활동이나 옷 선택도 제한되어 생활의 질이 많이 저하되었죠. 친해지고 싶어하는 친구들이 있었지만 스스로가 체형 때문에 부담을 느껴 멀리하게 되었습니다. 다행히 원래는 적극적인 성격이었던 그녀는 여름 방학에 이대로 살수는 없겠다고 생각하고 조치를 취해야겠다고 결심했습니다. 그해 여름이 워낙 무더워 생활하기 더 힘들었던 것도 중요한 원인이었습니다.

인터넷으로도 많은 검색을 하고 부모님과도 허심탄회하게 고민을 이야기하였습니다. 특히 어머니는 스스로도 비슷한 고민을 한 적이 많았기 때문에 잘 공감을 해주셨고, 지인들의 추천과 검색 끝에 신뢰할 수 있는 성형외과 전문의를 찾아갔습니다. 비슷한 사례를 많이 경험하였던 원장님은 M양의 상황을 충분히 이해하며 가슴 축소 수술을 제안했고, 실제 사례들에서 드라마틱한 전후 사진을 보며 수술을 결심을 하였습니다. 수술을 받기 전 많은 걱정과 불안이 있었지만 가족들의 지지가 큰 도움이 되었고, 동시에 새로운 삶에 대한 희망과 기대도 갖고 있었습니다.

순조롭게 수술이 끝났고 방학이라 집에서 편히 쉬면서 회복하였습니다. 예상외로 통증은 별로 없었으며 일상생활은 바로 가능하였습니다. 수술 후 부기가 몇 주간 있었지만 예전 무게의 고통과 땀에서 벗어날 기회를 얻은 것만으로도 큰 기쁨을 느꼈습니다. 수술 직후부터 가벼워진 몸이 시간이 지남에 따라 부기도 빠지면서 더 가볍고 편해지는 것을 느낄 수 있었습니다. 어깨의 부담이 사라져 스포츠와 여러 활동에 참여하는 것이 쉬워졌고, 옷을 고르는 것도 훨씬 수월해졌습니다.

가슴축소수술은 그녀의 자신감과 사회성에도 큰 영향을 미쳤습니다. 이전에는 자신을 비난하고 자주 부정적인 생각에 사로잡혔지만, 이제는 운동과 식단 관리도 같이 하면서 점점 자신의 외모와 몸매에 대한 자신감이 회복되었습니다. 개학 후 친구들과의 대화나 사회적인 활동에도 더욱 적극적으로 참여하며, 자신을 표현하는 데 더 큰 자유를 느꼈습니다. 수술 후 삶의 질이 크게 향상되었고, 자신의 외모 때문에 겪었던 제한과 어려움을 뒤로 하고 새로운 가능성과 성장의 길이 열렸습니다.

유방암 수술과 방사선 치료 후 되찾은 예쁜 가슴

평범한 주부의 삶을 살고 있던 T씨는 정기 건강검진에서 청천벽력과 같은 이야기를 듣게 되었습니다. 초음파 상 오른쪽 가슴에 유방암이 의심되는 병변이 있다는 것이었죠. 평소에 생활할 때 불편함도 없었고 무엇이 만져지는 것도 느끼지 못했기 때문에 당황스러웠습니다. 조마조마하게 기다린 조직검사의 결과에서 최종적으로 유방암으로 진단이 되었고, 하늘이 무너지는 줄 알았습니다. 하지만 아직 10대인 자녀들을 위해서라도 포기할 수 없었고, 스스로 강한 의지를 갖고 치료를 성실히 받았습니다. 그 과정에서 오른쪽 유방 전절제술을 받았고, 이후 방사선 치료도 여러차례 받았습니다. 거의 가본 적도 없는 대학병원을 오랜 기간 자주 방문해야 했죠. 이 과정은 그녀에게 많은 어려움과 스트레스를 안겨주었지만, 가족들의 지지로 잘 버텨내 3년이 지나도 정밀검사 상 재발하지 않았다는 기쁜 소견을 들었습니다.

몇 년 만에 마음의 여유를 가지게 된 그녀는 건강한 식습관과 운동을 유지하며, 유방재건수술을 고려하기로 결정했습니다. 원래도 가슴 볼륨이 있었던 T씨였기 때문에 한 쪽만 제거된 상태에서는 몸의 균형도 안 맞았고 속옷을 입거나 생활할 때도 불편했습니다. 가슴재건은 다양한 방법으로 이루어질 수 있는 것을 알게 되었고, 그녀는 자신에게 가장 적합한 방법을 찾기 위해 성형외과 의사와 함께 심도 있는 상담을 진행했습니다.

그 결과, 그녀는 보형물을 이용한 재건수술을 선택했습니다. 방사선 치료를 받은 초기에는 피부가 단단하였지만, 시간이 지나며 점점 부드러워졌고 보형물 만으로도 충분히 재건이 가능하다는 소견을 들었습니다. 치료를 받을 당시에 피부가 많이 단단하고 수축했기 때문에 재건을 할 수 있을까 많이 걱정을 하였는데 매우 다행스러웠습니다. 보형물은 종류가 여러가지 많았는데, 현재 상태에서는 충진율이 잘 채워진 보형물을 사용해야 얇아진 피부와 조직을 잘 지지할 수 있을 것이라 설명을 들었고, 신중하게 알맞는 보형물과 사이즈를 선택하였습니다. 절개 부위는 통증이 적고 회복이 빠른 밑선 절개를 선택하였습니다.

수술은 성공적이었고, 유방암 수술 이전과 동일한 크기와 형태를 가진 예쁜 가슴을 만들어주었습니다. 초반에 약간 피부가 당기는 느낌과 단단함이 있었지만 시간이 지날수록 부드러워졌습니다. 그녀는 자신의 신체에 대한 자신감을 되찾았으며, 유방암과의 싸움에서 얻은 힘과 용기로 더욱 긍정적으로 미래를 바라보았습니다. 간접 지인 중에 유방암을 진단받은 분의 소식을 들었을 때는 자신의 이야기를 공유하고 많은 희망을 전달할 수 있었습니다. 유방암으로부터 다시 일어서는 긍정적이면서 강인한 마인드를 갖춘 여성으로서, 자신의 삶을 전적으로 즐기며 가족과의 행복한 일상을 되찾았습니다.

110 kg 감량 후 피부가 처진 의지의 한국인

20대의 L씨는 어려서부터 오랜 시간 소아비만이었습니다. 성인이 되어서도 몸무게는 갈수록 늘어 일상생활이 혼자서는 힘든 지경까지 왔습니다. 그것이 스트레스가 되어 더욱 폭식을 하게 되고 악순환이 되어 몸무게는 어느새 160 kg가 넘어버렸습니다. 건강에도 문제가 많았고, 자존감도 낮아졌죠. 걷기도 힘들어 가족들과 병원에 갔더니 이 체중으로는 몇 년 내에 무릎 인공관절 수술을 해야할 가능성이 높다고 들었습니다. 그때 눈물을 흘리는 어머니를 보고 L씨는 일생 큰 결심했습니다. 이 비만의 무거운 짐을 벗어내고, 건강하고 행복한 인생을 살기로 말이죠.

건강 관련 공부도 많이 하고 관리를 시작하고 나서 L씨는 다이어트를 시작하기 전에 스스로 얼마나 건강하지 않은 삶을 살고 있는지 깨닫게 되었습니다. 영상과 책도 보고, 전문가와 상담을 통해 적절한 식단과 운동 계획을 세우고, 단단한 의지로 실행했습니다. 포기할 뻔한 적도 많았고 여러 고비가 있었지만, 꾸준한 운동과 규칙적인 식단 조절을 통해 체중을 줄이는데 성공했어요. 불굴의 의지로 노력하여 2년 동안 110 kg나 되는 체중을 감량하는데 성공하였습니다. 자연히 몸이 훨씬 가볍게 느껴지고, 고지혈증과 무릎 통증도 사라졌습니다. 예전에는 대인기피증도 있고 집에서 움츠리고만 있었다면, 다시 사회생활도 하고 새 삶을 시작하는 기분이었죠.

체중 조절은 성공하였지만 여전히 남는 것이 있었습니다. 바로 너무나 늘어난 피부였죠. 체중을 급격하게 감량하면 피부가 탄력을 잃고 처지는 현상이 발생할 수 있습니다. 겨울에는 상관이 없었지만 봄, 여름이 다가오면서 옷으로 피부가 가려지지 않아 점점 다시 스트레스를 받게 되었습니다. 인터넷에 많이 찾아보니 해외에는 비슷한 사례를 많이 찾을 수 있었습니다. 그러한 분들이 성형외과에 방문하여 거상수술을 결정했습니다. 거상수술은 불필요한 피부를 제거하여 탄력 있게 하고, 흉터도 대개 잘 보이지 않는 곳을 통해서 하기 때문에 눈에 띄지 않았습니다.

L씨는 안전을 최우선으로 하였기 때문에 병원의 규모나 시스템, 원장님의 세부 분야 등을 고려하여 신중하게 선택하여 상담을 하였습니다. 원장님과 실제 사례 사진들을 보며 '나와 비슷한 고민과 과정을 거친 분들이 더 있구나' 라는 생각을 하게 되었고, 자세한 상담을 통해 수술 방법과 예상되는 결과에 대해 자세히 알게 되었어요. 걱정과 기대가 함께 있었지만, 몸의 변화와 욕구가 훨씬 컸기 때문에 주저하지 않았습니다.

원하는 병원에서 거상수술은 전문적인 의료진의 손에 수행되었고,

수술 후 회복도 편안한 환경에서 진행되었습니다. 수술 후에는 약간의 통증과 부기가 있었지만, 예상 가능한 범주 내였기 때문에 크게 놀라지는 않았어요. 시간이 흐르면서 피부는 탄력을 회복하고, 피부 조직이 탄탄하게 재생되었습니다. 몸은 더욱 좋아져서 자신감도 생겼고, 체중을 뺀 힘든 노력의 보람을 비로소 느낄 수 있었어요. 건강도 더욱 좋아져서 관절이나 피검사도 모두 정상화 되어 일상 생활을 더욱 즐기며 살 수 있게 되었습니다. 이제 건강하고 활기찬 인생을 누리며, 여행도 많이 다니면서 이전에는 상상도 못했던 여러 가지 경험들을 하며 살고 있습니다.

여유증이 평생 고민이던 피트니스 선수

피트니스 대회에 꾸준히 출전하는 선수로서 운동에 늘 성실히 임하던 J씨는 어느 날 대회 사진이나 거울에서 자신의 가슴이 너무 튀어나와 있는 것이 눈에 띄는 것을 발견했습니다. 예전에는 잘 몰랐으나 한 번 눈에 보이니 계속 신경이 쓰였습니다. 스트레스가 점차 커져갔고, 자신감을 잃어 대회에서도 좋은 성적을 거두지 못하는 날들이 계속되었습니다. 또한, 평소 옷을 입을 때 자신의 몸이 좋아도 가슴이나 유두가 너무 돌출되어 돋보이는 것이 아닌가 신경이 쓰이고 있었습니다.

어느 날, J씨는 비슷한 사연을 인터넷에 검색하다가 스스로가 여유증일지도 모른다는 생각이 들게 되었습니다. 어떻게 해야하나 고민하던 중, 예전에 피트니스 대회에 참가하였을 때 심사위원 중에

성형외과 원장님이 있었던 것이 기억이 났습니다. 설령 아닐지도 모르지만 확인을 위해 진료를 받아보는 것이 좋겠다 생각하여 병원에 방문하였습니다. 태어나서 처음으로 성형외과 병원에 방문하였는데, 생각보다 대기중인 남성들도 많아서 놀랐습니다. 병원에서 처음으로 초음파 검사를 받게 되었고, 본인이 여유증 IIb 단계인 것을 알게 되었습니다. 여유증은 크게 3가지 단계가 있는데, 그 중 중간 이상의 중증도가 있는 것이었죠. 원장님과 세밀한 상담을 통해 수술 방법이나 회복 과정, 다른 분들의 전후 사진도 같이 보며 설명을 들었습니다. 그리고 걱정과 의심을 해소하고 새로운 삶을 위해 수술을 결정했습니다.

수술은 가슴 부위의 지방흡입과 유선조직 제거로 두 가지 술기가 같이 시행되었습니다. 수술 후 가슴 부위의 뻐근함이 있었지만, 평소 운동을 많이 하는 J씨에게는 운동 후 근육통보다도 가벼운 불편감이었습니다. 초반에 부기가 있었지만 빠르게 회복되었고, 어느새 가슴이 훨씬 평평해진 자신의 모습을 발견했습니다. 유두 부위의 유선조직 해소로 해당 부위의 돌출이 줄어들었고, 윗가슴의 근육이 더 부각되면서 훨씬 탄탄한 모습이 되었죠. 어느정도 회복이 된 후, 가벼운 무게부터 가슴 운동을 다시 본격적으로 시작하였습니다. 근육에 영향은 없는 수술이었기 때문에, 금방 원래의 운동 중량을 찾아갈 수 있었습니다.

자신감을 되찾은 J씨는 다시 피트니스 대회에 도전하였습니다. 이번에는 가슴 모양에 대한 걱정 없이, 더욱 자신을 드러내며 훈련에 매진하였습니다. 그 결과, 지금까지 중 가장 좋은 성적을 거두었습니다. 승리와 함께 자신감과 행복이 가득한 순간이었습니다.

이후로도 J씨는 자신감을 갖고 더욱 발전하기 위해 끊임없이 트레이닝에 몰두하고 있습니다. 그의 변화는 당시 스스로의 상황을 정확하게 받아들이고 현명하게 도움을 청했기 때문에 가능했으며, 이후 더욱 증진된 자기애와 자신감은 그를 더 나은 인간과 선수로 성장시키는 중요한 원동력이 되었습니다.

파트 정리

파트 5 에서는 여러가지 다양한 실제 사례들을 살펴보았습니다. 사람마다 얼굴이 다 다르듯이 체형 또한 굉장히 다르며, 각자의 상황에 따른 여러가지 고민을 갖고 있습니다. 일반적인 마른 체형의 직장인부터 출산, 수유 후 가슴이 처진 어머님, 또 방송인이나 운동강사, 모델처럼 직업적으로 체형이 중요한 특수한 케이스까지 각양각색의 사례들이 있습니다. 미성년자지만 거유증으로 활동이 힘든 학생, 유방암 수술 후 재건, 많은 체중 감량 후 피부가 지나치게 처진 사례 등 특수하여 남들과 쉽게 상의하지 못하는 상황도 있습니다. 중요한 것은 각자의 상황에서 좌절하지 않고 고민 후 적절한 도움을 청하여 훨씬 긍정적인 방향으로 이겨냈다는 점입니다. 저에게 직접 수술 받는 분들뿐만 아니라 여러 체형적 고민으로 병원을 찾아 도움을 받는 모든 분들이 자신감을 되찾고 건강하고 활기찬 삶을 누리시길 바랍니다.

Part 6

그 외의 체형 고민,
해결해 드립니다

지방흡입

체형 전문 성형외과 의사로서 가슴뿐만 아니라 지방흡입(liposuction)이나 복부거상 등의 체형 수술도 많이 하게 됩니다. 첫 번째 챕터에서 표로 보여드렸듯이 전세계에서 가장 많이 하는 성형수술 1등이 가슴수술이고 2등이 지방흡입이에요. 우리나라도 조금씩 비만 인구도 늘어나고 그렇지 않더라도 몸매에 대한 관심이 부쩍 늘고 있기 때문에 지방흡입도 상담을 많이 오십니다. 아시다시피 지방흡입은 특정 부위의 지방을 제거하여 체형을 개선하는 수술입니다. 일반적으로 복부, 허벅지, 팔, 등, 러브핸들 등의 지방이 쌓인 부위를 대상으로 시행됩니다.

이제 지방흡입의 과정과 회복에 대해 설명 드리겠습니다. 일단 마취는 보통 수면마취로 진행됩니다. 물론 비만도에 따라서나 기도 확보의 난이도 등에 따라 전신마취로 진행되기도 하죠. 지방흡입은 부위와 관계 없이 비슷한 과정으로 진행되며, 처음에 잘 보이지 않는 부위에 작은 절개 구멍을 내면서 시작합니다. 복부나 허벅지 같은 경우에는 사타구니 근처에, 팔은 팔꿈치에 작은 절개를 합니다. 그 곳을 통해 마취제, 지혈제 등이 특수하게 배합된 식염수를 피하 지방층에 주입하게 됩니다. 이 용액을 바로 투메센트 용액 (tumescent fluid)라고 해요. 이렇게 물을 주입하면 지방 세포들이 부풀어지겠죠? 그렇게 되면 지방도 훨씬 잘 나오고, 수술 후 울퉁불퉁한 바이오본드 (biobond)도 생기지 않습니다. 통증도 많이 예방이 됩니다.

투메센트 용액으로 지방 세포들이 부풀려 지도록 충분히 기다린 다음, 본격적으로 기계를 이용해서 지방을 흡입하게 됩니다. 수술 중 가장 중요한 것은 흡입 기구의 깊이입니다. 최소 침습적 기법을 사용하여 피부와 근육 사이의 지방만을 흡입용 관을 통해 흡입합니다. 의사는 균형 잡힌 체형을 얻기 위해 지방을 효과적으로 뽑게 되며, 사람마다 돌출된 부분이나 지방의 분포가 다르기 때문에 충분한 분석을 한 후 알맞게 시행해야 합니다. 단순히 지방을 제거하는 것이 아니라 체형의 선을 새로 다듬고 만드는 것이기 때문에 외국에서는 바디 컨투어링 (body contouring: 몸 윤곽성형술)이라고도 많이 이야기 합니다.

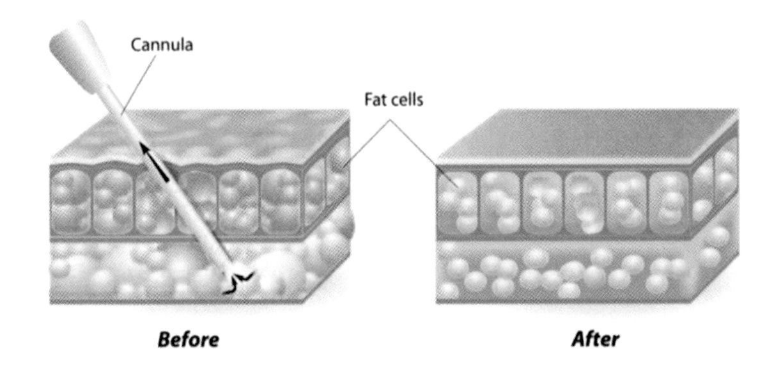

<지방흡입 전, 후: 피부와 근육 사이에 알맞은 깊이로 흡입 관을 위치시켜 안전하게 지방 세포의 수를 줄입니다>[56]

부위가 넓다 보니 통증이나 회복에 대해 걱정하시는 경우가 있는데, 지방흡입은 기본적으로 피부와 근육 사이의 얕게 분포된 지방만 제거하게 되므로 우려하지 않으셔도 됩니다. 당일에도 일상생활을 하실 수 있습니다. 다만 앞서 말씀드린 투메센트 용액을 주입하기 때문에 수술 후 부기가 몇 주간 지속됩니다. 불편감을 줄이기 위해 진통소염제도 처방이 되며, 빠른 회복을 위해 산책을 하시거나 주무실 때 다리 밑에 베게 등을 놓아 높게 위치하게 하시면 도움이 됩니다. 부기 감소와 피부 탄력을 위해 압박복도 맞추게 되며, 꾸준히 착용하시면 빠르게 회복이 됩니다. 물론 회복 속도는 수술 전의 체형과 비만도, 수술 중 들어간 투메센트 용액과 흡입한 지방의 양, 개인 체질 등에 따라 사람마다 다릅니다.

수술 후 꼭 의사의 지시에 따라 꾸준한 관리와 운동을 지속하는 것이 중요합니다. 특히 복부의 경우는 내장지방이 있으며 이 것은 수술로는 제거할 수 없기 때문에 식단 조절이 중요합니다. 그래도 다행인 점은 관리를 시작하시면 내장지방이 먼저 빠지게 됩니다. 지방흡입으로 빼기 어려운 피하지방을 제거해드리고 수술 후 관리를 통해 내장지방을 줄여주신다면, 몇 달 만에 몰라볼 정도로 드라마틱한 변화가 있을 것입니다.

여유증

여유증 (gynecomastia)는 남성에서 가슴 부위에 발생하는 조직의 비정상적인 확대를 나타내는 용어입니다. 이는 남성 유방비대로 이야기 되기도 합니다. 심한 경우 여성의 유방과 비슷한 형태로 가슴의 볼록함과 유두의 돌출이 발생할 수 있습니다. 남성의 가슴 부위에서 발생할 수 있는 가장 흔한 양성 질환이며, 서양 연구에서는 무려 40% 이상의 남성에서 일생 동안 발생할 수 있다고 되어 있습니다.[57-58]

여유증의 가장 흔한 원인은 남성의 호르몬 수준의 불균형입니다.[59] 주로 에스트로겐 (여성 호르몬) 수준이 상승하거나, 남성 호르몬인 테스토스테론의 수준이 감소할 때 발생할 수 있습니다. 이러한 호르몬의 변화는 다양한 원인에 의해 발생할 수 있으며 대략 다음과 같이 정리해볼 수 있습니다.

청소년기 변화: 청소년기 때 변칙적인 호르몬 변화로 인해 임시적으로 여유증이 발생할 수 있습니다. 소아 비만의 영향도 당연히 있죠. 성인이 되면서 사라지는 경우도 많지만 경우에 따라 계속 지속됩니다.[60]

노화: 나이가 들면서 호르몬 수준이 변하고 피부 탄력이 떨어지면서 발생할 수 있습니다.

비만: 비만은 그 자체로 호르몬 수준을 변화시키고, 가슴 부위의 지방 조직이 늘어나는 것으로 인해 발생할 수 있습니다.

약물 사용: 스테로이드 등의 일부 약물은 호르몬 수준에 크게 영향을 줄 수 있으며, 유선 조직의 발달을 유발할 수 있습니다.[61]

이렇게 여러가지 원인이 영향을 줄 수 있으며 개인마다 그 심한 정도도 다양합니다. 여유증의 중등도를 분류하는 방법은 여러가지가 있는데 우리나라에서는 흔하게 1973에 개발된 사이먼 (Simon) 분류를 사용합니다.[62] 등급에 따라 보험 적용이 달라지기 때문에 특히 중요하며, 보통 초음파를 통해 진단하게 됩니다.

<여유증의 사이먼 분류>

1단계: 경증의 단계로 가슴의 발달 정도가 유륜 이내로 국한되어 있음

2a단계: 유륜의 경계를 초과하는 중등도의 가슴 증가 소견이 보이고 피부 처짐은 없음

2b단계: 유륜의 경계를 초과하는 가슴의 증가가 보이고 유륜이 가슴 밑선까지 처짐

3단계: 심한 가슴의 비대가 있고, 여성의 유방과 같이 피부 처짐이 있음.

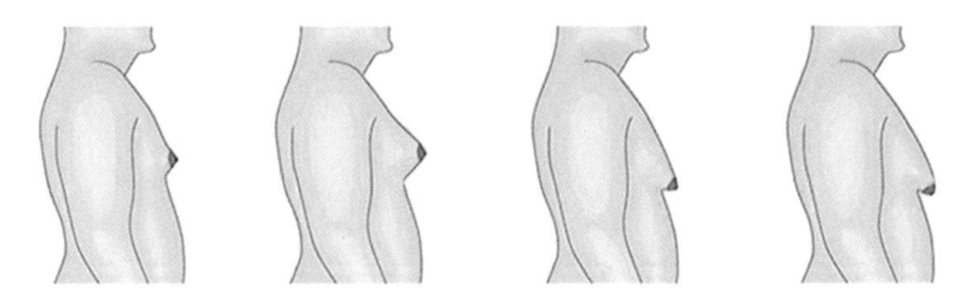

<여유증의 사이먼 분류: 왼쪽부터 1, 2a, 2b, 3 단계>[63]

여유증의 치료는 그 원인과 심각성에 따라 다르게 접근됩니다. 많은 경우는 기능적이거나 비침습적인 치료를 통해 관리될 수 있습니다. 하지만 생활 관리로 개선이 되지 않거나 다른 원인이 있으면 수술이 필요할 수도 있습니다.

우선 시행할 수 있는 원인 치료와 비침습적 치료부터 보겠습니다.

약물에 의해 여유증이 유발된 경우, 당연히 해당 약물을 중단해야 합니다. 의사와 상담하여 적절한 조치를 결정하는 것이 중요합니다. 드물지만 호르몬의 불균형이 매우 심한 경우에는 호르몬 치료를 고려할 수도 있습니다. 비침습적 치료로는 여유증이 비만과 연관된 경우가 많이 때문에 경미한 단계의 경우, 체중 감량과 함께 규칙적인 운동을 통해 체지방을 감소시키는 것이 도움이 될 수 있습니다. 사회생활을 할 때 타이트한 옷을 안에 받쳐 입는 등 적절한 의류를 착용하는 것도 도움이 될 수 있죠.

수술은 여유증이 심각하거나 사회적, 기능적인 문제를 일으키는 경우에 고려됩니다. 수술은 크게 두가지 종류로 볼 수 있습니다. 앞 챕터에서 설명 드린 지방흡입술과 유선 조직을 물리적으로 제거하는 유선 조직 절제술 혹은 유방절제술입니다. 대부분 이 두 가지를 같이 시행하며, 이를 통해 가슴 모양을 조정하고 비정상적인 조직의 확대를 없앨 수 있습니다. 지방흡입은 보통 겨드랑이 쪽으로 작은 구멍을 내서 가슴 전반적인 지방을 흡입합니다. 비만이 같이 동반된 경우가 많기 때문에 전체적인 볼륨을 줄여드리는 데에 필요합니다. 그 다음 단계가 유선 조직 제거인데, 대개 진성 여유증이 있는 분들은 유두 아래쪽으로 상당히 단단한 유선 조직이 만져지게 됩니다. 이 유선 조직의 양을 초음파로 확인하고 단계를 분류하는 것이죠. 이 조직들은 굉장히 단단하기 때문에 지방흡입만으로는 충분히 제거가 어렵고, 직접적으로 유륜이나 근처 다른 위치에 작은 절개선을 넣어서 물리적으로 유선 조직을 절제해야 합니다. 제가 예전에 집필한 논문에서 지방흡입만 한 경우와 지방흡입과 유선 조직 제거를 같이 시행한 환자 군을 비교한 적이 있는데, 같이 시행한 군에서 결과와 만족도가 더욱 높았습니다.[64]

통증이나 회복에 대해 말씀드리면, 여유증 치료는 기본적으로 피부와 근육 사이의 얇게 분포된 지방과 유선 조직만 제거하게 되므로 크게 우려하지 않으셔도 됩니다. 바로 일상생활을 하실 수 있으며, 단지 지방흡입 전 투메센트 용액을 주입하기 때문에 수술 후 부기가 몇 주간 지속됩니다. 부기 감소와 피부 탄력을 위해 압박복도 맞추게 되며, 꾸준히 착용하시면 빠르게 회복이 됩니다.

엉덩이 지방이식 (힙업성형)

체형에 대한 사회적 관심이 높아지면서 가슴 뿐만 아니라 힙에 대한 상담도 늘고 있는 추세입니다. 외국에서는 이미 오래 전부터 가슴만큼 많이 하는 수술이 바로 엉덩이 지방이식을 통한 힙업성형입니다. 서양에서는 이미 오래 전부터 보편화 된 수술이며, 1960년대에 이 수술을 개발한 브라질 출신의 성형외과 의사 Ivo Pitanguy의 국적을 따서 Brazilian Butt Lift (BBL)로 많이 알려져 있습니다. 다른 부위에서 지방을 추출하여 처리한 후, 지방의 부족한 볼륨이나 함몰된 부분을 채워드리는 수술입니다. 수술 과정은 다음과 같이 크게 3가지 단계로 볼 수 있습니다.

1. 지방 추출: 앞에 설명 드린 지방흡입과 같은 방식입니다. 복부, 허벅지 등에 투메센트 용액을 주입한 후 기다렸다가 좋은 퀄리티의 지방을 충분히 추출합니다.

2. 지방 처리: 추출된 지방은 원심분리기 (centrifuge)를 통해 정화되고 처리되어 이식에 적합한 상태로 준비됩니다. 이 단계에서 불필요한 세포와 노폐물은 제거되며, 줄기세포가 포함된 깨끗한 지방이 남게 됩니다.

3. 지방 이식: 처리된 지방을 엉덩이 부위에 이식합니다. 사람마다 볼륨이 부족한 부위나 힙딥 (hip dip)의 위치도 조금씩 다르기 때문에 수술 전에 충분한 상의와 정밀한 디자인 후 수술 중에 효과적으로 지방을 이식합니다. 이식된 지방은 주변 조직과 자연스럽게 결합되며 전반적인 힙 라인을 개선합니다.

엉덩이 지방이식은 순수한 본인의 지방으로 안전하게 엉덩이의 형태와 크기를 더욱 둥글고 볼륨감 있게 만들어주는 효과가 있습니다. 즉각적으로 윗엉덩이나 힙딥이 채워지며 만족감이 높은 수술이죠. 그러나 일부 지방은 흡수가 되기 때문에 몇 달에 걸쳐 경과를 관찰해야 하며, 초반에는 너무 딱딱한 의자에 앉는 것은 피하는 것이 좋습니다. 그렇다고 하루 종일 서 있거나 엎드려 있을 필요는 없고 너무 강한 압력이 가해지지 않게 조심하시면 됩니다.

개인마다 흡수율이 다르기 때문에 몇 달을 기다려보고 필요시 2 차 지방이식을 고려하는 경우도 있습니다. 대개 처음 이식했던 지방의 세포들이 남아 있는 상태에서 추가적으로 지방이식을 하게 되면 생착률이 높아지는 경향이 있습니다. 몇 달에 걸쳐 일부는 흡수되고 남은 지방은 주변 조직과 잘 융합되고 계속 남아서 부족했던 부분을 채워주게 됩니다.

복부거상

요즘에는 많이 아시지만 복부거상 (abdominoplasty or tummy tuck)은 우리나라에서는 비교적 생소한 수술이었습니다. 하지만 서양을 포함한 전세계 성형수술 통계에서는 보통 5등 안에 들만큼 굉장히 많이 하는 수술입니다. 점차 사회적으로 비만 인구가 늘어나고, 체중이 늘었다가 열심히 감량을 하시고 배 쪽의 피부가 남는 경우가 생기면서 많이 상담하러 오십니다. 앞에서 설명 드린 지방흡입이 피부 아래에 있는 지방을 없애기 위한 수술이었다면, 복부거상은 흡입이나 운동으로 지방을 많이 뺀 후에 남는 처진 피부에 대한 개선을 위한 술기입니다. 처진 피부를 잘라내야 하는 수술이기 때문에 부득이하게 절개선이 긴 편입니다. 하지만 속옷을 입었을 때 가려지는 위치이며, 제왕절개 절개선보다 조금 더 길다고 보시면 됩니다.

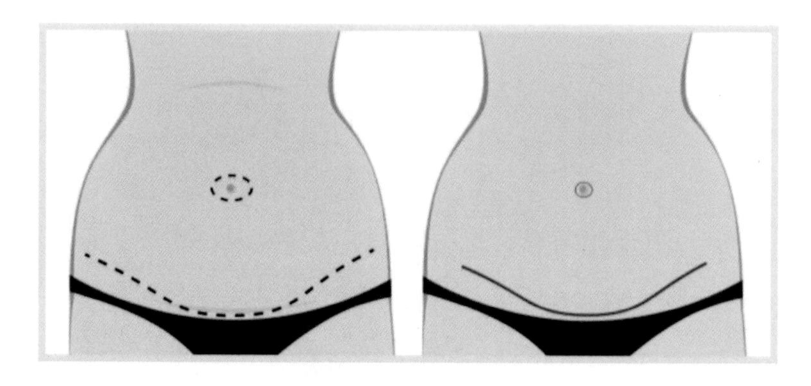

<복부거상 절개 부위>[65]

복부 아래쪽으로 절개선을 넣은 후 피부가 많이 남는 부위들 위주로 박리를 시행하게 됩니다. 사람마다 아래쪽 피부가 많이 남는 경우가 있고 배꼽 위에까지 피부가 많이 처지는 경우도 있습니다. 박리를 할 때에는 피부나 복근에 손상이 가지 않도록 너무 깊지도 얕지도 않은 적정한 층을 따라 시행해야 합니다. 이 과정에서 복근과 근막이 어느 정도 노출되게 되며, 많은 환자분들이 복근도 늘어져 있기 때문에 근육끼리 묶어드려서 안쪽의 내장지방이나 장기가 앞으로 돌출되지 않도록 해드립니다. 남는 피부를 정확하게 재단하여 제거하고 피부재배치를 하며, 필요시 배꼽을 예쁜 세로 모양으로 새로 만들기도 합니다.

복부거상은 지방흡입과 마찬가지로 얕은 층에서의 조작이 위주인 수술이기 때문에 위험하거나 회복이 오래 걸리지는 않습니다. 대신 절개부위가 긴 편이고 박리 범위가 넓기 때문에 초반에는 깨끗이 상처 관리와 무리한 활동을 하지 않는 것이 필요합니다. 지방흡입처럼 압박복을 입는 경우가 많습니다. 몇 주의 시간이 지나면서 상처도 아물고 부기가 빠지면서 전체적인 복부의 피부가 재배치되며 더욱 탄탄하게 변합니다.

절개선이 길수록 더 많은 피부를 제거할 수 있기 때문에 효과가 좋을 수 있으나, 사람마다 피부 탄력이나 처짐 정도가 다르기 때문에 전문의와 상의하면서 적절한 절개 범위를 함께 정하게 됩니다. 심하지 않은 분들은 제왕절개 범위와 큰 차이 없는 정도의 작은 절개로도 큰 효과를 볼 수 있고 만족을 느낄 수 있는 것이 바로 복부거상수술입니다.

배꼽성형

앞 챕터 복부거상에서 잠깐 언급하였는데 배꼽 주변의 처진 피부를 제거하고 가로로 덮인 배꼽을 보다 세로로 미용적인 배꼽으로 만들어 드리는 것이 배꼽성형 (umbilicoplasty)입니다. 배꼽성형은 복부거상수술에서 많은 경우 같이 포함되어 있는 술기이며, 단독으로 진행하기도 합니다. 주로 다음과 같은 경우에 고려될 수 있습니다.

1. 임신, 체중 감량 후 발생한 배꼽 자체의 변형

2. 늘어진 피부와 조직이 배꼽을 둘러싸고 있어 원래 모양이 파악되지 않고 피부질환이나 염증을 일으키는 경우

3. 선천적으로 비대칭이거나 불균형한 배꼽 모양을 보정하고자 하는 경우

배꼽성형만 단독으로 진행하는 경우 보통 수면마취나 국소마취로 진행됩니다. 배꼽 위쪽 위주로 작은 절개를 만들어 주변 피부와 조직을 절제하고 재배치합니다. 그 다음 배꼽의 모양을 세로로 수정하고 조정하여 봉합합니다. 국소적인 부위의 수술이기 때문에 회복이 빠르며 부기나 멍도 보통 거의 없습니다.

팔거상, 허벅지거상

이번에는 복부거상보다 생소하게 들릴 수 있는 수술이 팔거상(arm lift), 허벅지거상 (thigh lift)입니다. 복부거상이 남는 복부 피부를 제거하는 것이었다면, 이들은 각각 팔과 허벅지에서 남는 피부를 절제하고 재배치하여 탄탄한 체형을 만드는 수술입니다. 아주 흔한 수술은 아니지만, 고도 비만이었다가 체중을 많이 감량하신 분들이나 외국인들이 생각보다 자주 찾습니다.

개인별 체형에 맞게 남는 피부를 제거하게 되며, 팔의 경우는 겨드랑이 근처에서 팔 안쪽으로 절개선을 넣어 차렷 자세를 했을 때는 흉터가 보이지 않습니다. 허벅지의 경우에도 사타구니나 허벅지 안쪽 위주로 절개선을 넣어서 일반적으로 서있을 때 보이지 않는 위치로 수술을 진행합니다. 주치의와 충분한 상의를 통해서 같이 정한 최소한의 절개로 최대한의 효과를 이끌어낼 수 있습니다.

회복은 다른 체형 수술처럼 빠른 편이며, 절개 부위가 긴 경우에는 당연히 알맞는 상처 관리가 필요합니다. 압박복도 한 달 이상 착용하시면 보다 빠르게 부기가 사라지며 피부도 탄탄하게 회복됩니다.

파트 정리

마지막 파트에서는 가슴 이외의 체형 수술에 대해 정리해보았습니다. 우리나라도 조금씩 비만 인구도 늘어나고 몸매에 대한 관심이 부쩍 늘고 있기 때문에 지방흡입 상담을 많이 오십니다. 지방흡입은 처음에 잘 보이지 않는 부위에 작은 절개 구멍을 내고 마취제, 지혈제 등이 특수하게 배합된 식염수인 투메센트 용액을 피하지방층에 주입하게 됩니다. 이렇게 지방 세포들이 부풀려 지도록 충분히 기다린 다음, 본격적으로 기계를 이용해서 지방을 흡입하게 됩니다. 수술 중 가장 중요한 것은 흡입 기구의 깊이입니다. 최소 침습적 기법을 사용하여 피부와 근육 사이의 지방만을 흡입용 관을 통해 흡입합니다.

여유증은 남성에서 가슴 부위에 발생하는 조직의 비정상적인 확대로 남성 유방비대로 이야기 되기도 합니다. 호르몬 불균형, 비만, 약물 사용 등이 영향을 주게 되며 사이먼 분류에 따라 네 가지 단계로 나눕니다. 수술은 크게 두가지 종류로 지방흡입술과 유선 조직을 물리적으로 제거하는 유선조직 절제술 혹은 유방절제술입니다. 상담을 통해 현 상황에 맞는 치료가 필요하겠죠.

체형에 대한 사회적 관심이 높아지면서 힙업성형에 대한 상담도 늘고 있는 추세입니다. 다른 부위에서 지방을 추출하여 처리한 후, 윗엉덩이나 힙딥 등 부족한 부위를 채우게 됩니다. 볼륨이 채워지면서 피부 탄력이 좋아지고 전반적으로 힙이 올라가게 됩니다. 개인마다 흡수율이 다르기 때문에 추후 필요시 2 차 지방이식을 고려하는 경우도 있습니다.

복부거상은 많은 체중 변화로 복부 피부가 많이 남는 경우 시행합니다. 잉여 피부를 효과적으로 제거하고 즉각적으로 드라마틱한 변화를 볼 수 있습니다. 처진 피부를 잘라내야 하는 수술이기 때문에 부득이하게 절개선이 긴 편입니다. 하지만 속옷을 입었을 때 가려지는 위치이며, 제왕절개 절개선보다 조금 더 길다고 보시면 됩니다. 배꼽을 세로로 예쁘게 만드는 배꼽성형도 같이 포함되서 하는 경우가 많으며, 단독으로 시행하기도 합니다.

복부거상이 남는 복부 피부를 제거하는 것이었다면, 팔거상과 허벅지거상 각각 팔과 허벅지에서 남는 피부를 절제하고 재배치하여 탄탄한 체형을 만드는 수술들입니다. 아주 흔한 수술은 아니지만, 고도 비만이었다가 체중을 많이 감량하신 분들이나 외국인들이 많이 찾습니다.

에필로그

매년 몇십만 명의 외국인 환자가 우리나라에 진료와 수술을 받으러 내원하며, 진료과별 숫자를 보면 내과 통합 진료와 성형외과가 항상 1, 2위입니다. 그만큼 우리나라 성형외과는 전세계적으로 인정받고 기여하고 있으며, 그 일원으로서 언제나 큰 자부심을 느낍니다. 성형수술이 많이 보편화 되었지만 수술이란 여전히 크고 중요한 결정입니다. 내가 원하는, 혹은 필요한 수술이 정확히 무엇인지 알아야 하며, 안전하면서도 나와 잘 맞는 좋은 병원과 원장님도 찾아야 합니다.

이 책에는 많은 지식과 여러 사람들의 사연이 함께 녹아 있습니다. 제가 예전에 집필한 논문들과 여러 전문 지식들을 최대한 쉽게 풀어 쓰려 노력했습니다. 또한 궁금하긴 한데 너무 사소한 것 같아

막상 상담 때 묻기 어려울 것 같은 질문들도 최대한 답변하도록 하였습니다. 실제 사례 후기들에서는 비슷한 고민으로 공감하신 내용도 있을 것이고, 이 세상에 저런 부분 때문에 많은 스트레스가 있었고 또 극복을 할 수도 있구나 싶은 사연도 있었을 것입니다. 어느 쪽이든 많은 간접 경험과 지식을 습득하였을 것이며, 이 책을 읽으신 여러분들은 가슴, 체형성형 분야에서 이미 초보가 아니라고 장담합니다.

앞서 말씀드린 대로 저는 오랜 기간 가슴, 체형수술을 집도한 성형외과 전문의입니다. 그 동안 여러 논문도 작성하였지만 일반인에게는 쉽지 않은 접근성과 전문용어 때문에 한계를 느껴 보다 적극적으로 다가가고, 설명하고, 소통하기 위해 틈틈이 이 책을 집필하였습니다. 가슴, 체형수술의 종류와 준비에 대해 최대한 쉽고 자세히 설명하고, 수술 후의 관리와 부작용, 그리고 많은 분들이 상담 시 질문하신 궁금증에 대한 해답을 제공하여, 수술을 고민하는 분들이 자신에게 맞는 결정을 내릴 수 있도록 돕고자 하였습니다. 그 과정에서 저도 개인적으로 임상 경험과 그간 체득한 지식을 정리할 수 있었던 좋은 경험이었습니다.

이 책이 나올 수 있도록 평소 늘 지지가 되는 가족들, 동료 원장님들, 친우들 모두 감사드립니다. 부족한 저를 믿고 매일 찾아주시는 많은 분들과 이 책을 읽어 주신 여러분께 감사드립니다. 고민은 수술만 늦출 뿐, 관심이 있는 분들은 먼저 상담이라도 받아보시길 권장 드리며, 모든 분들이 아름다운 체형으로 건강하고 자신감 있는, 행복한 삶을 이어가시길 진심으로 바랍니다.

참고문헌

1. www.statista.com
2. Heidekrueger PI, Sinno S, Hidalgo DA, Colombo M, Broer PN (2018) Current trends in breast augmentation: an international analysis. Aesthet Surg J 38(2):133-148
3. Byun IH, Koo HK, Kim SJ, Kim HJ, Lee SW (2020) Simultaneous augmentation mammoplasty and vacuum-assisted breast biopsy for enhanced cosmesis and efficacy. Aesthet Plast Surg 44(6):2041-2047
4. Lee DW, Kim SJ, Kim H (2019) Endoscopic transaxillary versus inframammary approaches for breast augmentation

using shaped implants: a matched case-control study. Aesthet Plast Surg 43(3):563-568

5. Ozalp B, Aydinol M (2017) Breast augmentation combining fat injection and breast implants in patients with atrophied breasts. Ann Plast Surg 78(6):623-628
6. https://www.dornecorset.com/help.html
7. Rancati A, Nava M, Tessari L (2010) Simultaneous augmentation and periareolar mastopexy: selecting the correct implant. Aesthetic Plast Surg 34(1):33-39; discussion 40-31
8. Rinker B, Veneracion M, Walsh CP (2010) Breast ptosis: causes and cure. Ann Plast Surg 64(5):579-584
9. Ors S (2018) Augmentation Mastopexy with a Dermal Encapsulated Round or Anatomic Autoprosthesis. Aesthetic Plast Surg 42(1):88-97
10. Liu Y, Ren Y, Wu M, Hou K, Wu Y (2021) Simultaneous Mastopexy via Areola Excision to Correct Mild and Moderate Breast Ptosis. Aesthetic Plast Surg 45(3):948-955
11. Persoff MM (2003) Vertical mastopexy with expansion augmentation. Aesthetic Plast Surg 27(1):13-19
12. Gonzalez-Ulloa M (1960) Correction of hypotrophy of the breast by means of exogenous material. Plast Reconstr Surg Transplant Bull 25:15-26
13. Davison SP, Spear SL (2004) Simultaneous breast augmentation with periareolar mastopexy. Semin Plast Surg 18(3):189-201

14. Whidden PG (2003) Simultaneous breast augmentation and mastopexy. Can J Plast Surg 11(2):73-78
15. International Agency for Research on Cancer. Breast cancer incidence, mortality and prevalence worldwide in 2008. GLOBOCAN website. http://www.globocan.iarc.fr/Pages/fact_sheets_cancer.asp
16. Rojas K, Stuckey A (2016) Breast cancer epidemiology and risk factors. Clin Obstet Gynecol 59(4):651-672
17. Feuer EJ, Wun LM, Boring CC, Flanders WD, Timmel MJ, Tong T (1993) The lifetime risk of developing breast cancer. J Natl Cancer Inst 85(11):892-897
18. Park HL, Hong J (2014) Vacuum-assisted breast biopsy for breast cancer. Gland Surg 3(2):120-127
19. Brem RF, Lenihan MJ, Lieberman J, Torrente J (2015) Screening breast ultrasound: past, present, and future. AJR Am J Roentgenol 204(2):234-24
20. Berg WA, Gilbreath PL (2000) Multicentric and multifocal cancer: whole-breast US in preoperative evaluation. Radiology 214(1):59-66
21. Kolb TM, Lichy J, Newhouse JH (1998) Occult cancer in women with dense breasts: detection with screening US-diagnostic yield and tumor characteristics. Radiology 207(1):191-199
22. McIntosh SA, Horgan K (2008) Augmentation mammoplasty: effect on diagnosis of breast cancer. J Plast Reconstr Aesthet Surg 61(2):124-129

23. Etzioni R, Urban N, Ramsey S, McIntosh M, Schwartz S, Reid B, Radich J, Anderson G, Hartwell L (2003) The case for early detection. Nat Rev Cancer 3(4):243-252
24. Qu S, Zhang W, Zhang J, Zhang Q, Lu R, Wang N (2019) The vacuum-assisted breast biopsy system is an effective treatment strategy for breast lumps after augmentation with autologous fat grafting. Aesthet Plast Surg 43(5):1152-1157
25. Nakano S, Imawari Y, Mibu A, Otsuka M, Oinuma T (2018) Differentiating vacuum-assisted breast biopsy from core needle biopsy: is it necessary? Br J Radiol 91(1092):20180250
26. Wang T, Zhu L (2020) Mammotome-assisted removal with minimal incision of large juvenile fibroadenoma of breast: a case report. Medicine (Baltimore) 99(10):e19442
27. Grady I, Gorsuch H, Wilburn-Bailey S (2008) Long-term outcome of benign fibroadenomas treated by ultrasound-guided percutaneous excision. Breast J 14(3):275-278
28. Sperber F, Blank A, Metser U, Flusser G, Klausner JM, LevChelouche D (2003) Diagnosis and treatment of breast fibroadenomas by ultrasound-guided vacuum-assisted biopsy. Arch Surg 138(7):796-800
29. Sie A, Bryan DC, Gaines V, Killebrew LK, Kim CH, Morrison CC, Poller WR, Romilly AP, Schilling K, Sung JH (2006) Multicenter evaluation of the breast lesion excision system, a percutaneous, vacuum-assisted, intact-specimen breast biopsy device. Cancer 107(5):945-949

30. Johnson AT, Henry-Tillman RS, Smith LF, Harshfield D, Korourian S, Brown H, Lane S, Colvert M, Klimberg VS (2002) Percutaneous excisional breast biopsy. Am J Surg 184(6):550-554
31. Povoski SP, Jimenez RE (2007) A comprehensive evaluation of the 8-gauge vacuum-assisted Mammotome(R) system for ultrasound-guided diagnostic biopsy and selective excision of breast lesions. World J Surg Oncol 5:83
32. Regnault P (1976) Breast ptosis. Definition and treatment. Clin Plast Surg 3(2):193-203
33. Byun IH, Park SH (2022) Basic Strategies of Augmentation Mammoplasty in Patients with Tendencies of Pectus Excavatum and Carinatum. Aesthetic Plast Surg; DOI:10.1007/s00266-022-02991-8
34. Buziashvili D, Gopman JM, Weissler H, Bodenstein L, Kaufman AJ, Taub PJ (2019) An evidence-based approach to management of pectus excavatum and carinatum. Ann Plast Surg 82(3):352-358
35. van Aalst JA, Phillips JD, Sadove AM (2009) Pediatric chest wall and breast deformities. Plast Reconstr Surg 124(1 Suppl):38e-49e
36. Fonkalsrud EW, DeUgarte D, Choi E (2002) Repair of pectus excavatum and carinatum deformities in 116 adults. Ann Surg 236(3):304-312
37. Kelly RE Jr, Cash TF, Shamberger RC, Mitchell KK, Mellins RB, Lawson ML, Oldham K, Azizkhan RG, Hebra

AV, Nuss D, Goretsky MJ, Sharp RJ, Holcomb GW 3rd, Shim WK, Megison SM, Moss RL, Fecteau AH, Colombani PM, Bagley T, Quinn A, Moskowitz AB (2008) Surgical repair of pectus excavatum markedly improves body image and perceived ability for physical activity: multicenter study. Pediatrics 122(6):1218-1222

38. Kim DH, Hwang JJ, Lee MK, Lee DY, Paik HC (2005) Analysis of the nuss procedure for pectus excavatum in different age groups. Ann Thorac Surg 80(3):1073-1077
39. Fokin AA, Steuerwald NM, Ahrens WA, Allen KE (2009) Anatomical, histologic, and genetic characteristics of congenital chest wall deformities. Semin Thorac Cardiovasc Surg 21(1):44-57
40. Brochhausen C, Turial S, Muller FK, Schmitt VH, Coerdt W, Wihlm JM, Schier F, Kirkpatrick CJ (2012) Pectus excavatum: history, hypotheses and treatment options. Interact Cardiovasc Thorac Surg 14(6):801-806
41. Bouchard S, Hong AR, Gilchrist BF, Kuenzler KA (2009) Catastrophic cardiac injuries encountered during the minimally invasive repair of pectus excavatum. Semin Pediatr Surg 18(2):66-72
42. Fonkalsrud EW, Dunn JC, Atkinson JB (2000) Repair of pectus excavatum deformities: 30 years of experience with 375 patients. Ann Surg 231(3):443-448
43. De Ugarte DA, Choi E, Fonkalsrud EW (2002) Repair of recurrent pectus deformities. Am Surg 68(12):1075-1079

44. Fonkalsrud EW, Beanes S (2001) Surgical management of pectus carinatum: 30 years' experience. World J Surg 25(7):898-903
45. Molik KA, Engum SA, Rescorla FJ, West KW, Scherer LR, Grosfeld JL (2001) Pectus excavatum repair: experience with standard and minimal invasive techniques. J Pediatr Surg 36(2):324-328
46. Fonkalsrud EW (2003) Current management of pectus excavatum. World J Surg 27(5):502-508
47. Ors S (2017) Incidence and classification of chest wall deformities in breast augmentation patients. Aesthet Plast Surg 41(6):1280-1290
48. Desmarais TJ, Keller MS (2013) Pectus carinatum. Curr Opin Pediatr 25(3):375-381
49. Schwabegger AH, Del Frari B, Pierer G (2012) Aesthetic improvement of the female breast in funnel chest deformity by surgical repair of the thoracic wall: indication or lifestyle surgery? Plast Reconstr Surg 130(2):245e-253e
50. Rowland T, Moriarty K, Banever G (2005) Effect of pectus excavatum deformity on cardiorespiratory fitness in adolescent boys. Arch Pediatr Adolesc Med 159(11):1069-1073
51. Byun IH, Koo HK, Kim SJ, Kim HJ, Lee SW (2022) Double triangle suture technique for inverted nipple correction while preserving the lactiferous ducts. J Cutan Aesthet Surg 15(4):371–374
52. www.parkercenter.net

53. Blount AL, Martin MD, Lineberry KD, Kettaneh N, Alfonso DR (2013) Capsular contracture rate in a low-risk population after primary augmentation mammaplasty. Aesthet Surg J 33(4):516-521
54. Namnoum JD, Largent J, Kaplan HM, Oefelein MG, Brown MH (2013) Primary breast augmentation clinical trial outcomes stratified by surgical incision, anatomical placement and implant device type. J Plast Reconstr Aesthet Surg 66(9):1165-1172
55. Stevens WG, Nahabedian MY, Calobrace MB, Harrington JL, Capizzi PJ, Cohen R, d'Incelli RC, Beckstrand M (2013) Risk factor analysis for capsular contracture: a 5-year Sientra study analysis using round, smooth, and textured implants for breast augmentation. Plast Reconstr Surg 132(5):1115-1123
56. www.allenaestheticsurgery.com
57. Nuttall FQ (1979) Gynecomastia as a physical finding in normal men. J Clin Endocrinol Metab 48:338-340
58. Niewoehner CB, Nuttal FQ (1984) Gynecomastiaina hospitalized male population. Am J Med 77:633-638
59. Rochefort H, Garcia M (1983) The estrogenic and antiestrogenic activities of androgens in female target tissues. Pharmacol Ther 23:193-216
60. Treves N (1958) Gynecomastia; the origins of mammary swelling in the male: an analysis of 406 patients with breast hypertrophy, 525 with testicular tumors, and 13 with adrenal neoplasms. Cancer 11:1083-1102

61. Bembo SA, Carlson HE (2004) Gynecomastia: its features, and when and how to treat it. Cleve Clin J Med 71:511-517
62. Simon BE, Hoffman S, Kahn S (1973) Classification and surgical correction of gynecomastia. Plast Reconstr Surg 51(1):48-52
63. www.alcsindia.com
64. Kim DH, Byun IH, Lee WJ, Rah DK, Kim JY, Lee DW (2016) Surgical Management of Gynecomastia: Subcutaneous Mastectomy and Liposuction. Aesthetic Plast Surg 40(6):877-884
65. www.granitebaycosmetic.com